EL JUEGO DE LA CIENCIA

Experimentos para cada día del OTOÑO

Anita van Saan
Ilustraciones de Dorothea Tust

ONIRO

Colección dirigida por Carlo Frabetti

Título original: *365 Experimente für jeden Tag* (selección páginas: 1-8 y 130-192)
Publicado en alemán por Moses. Verlag GmbH, Kempen 2002

Traducción de J. A. Bravo

Diseño de cubierta: Valerio Viano

Ilustraciones de cubierta e interiores: Dorothea Tust

Distribución exclusiva:
Ediciones Paidós Ibérica, S.A.
Mariano Cubí 92 - 08021 Barcelona - España
Editorial Paidós, S.A.I.C.F.
Defensa 599 - 1065 Buenos Aires - Argentina
Editorial Paidós Mexicana, S.A.
Rubén Darío 118, col. Moderna - 03510 México D.F. - México

© 2006 exclusivo de todas las ediciones en lengua española:
Ediciones Oniro, S.A.
Muntaner 261, 3.º 2.ª - 08021 Barcelona - España
(oniro@edicionesoniro.com - www.edicionesoniro.com)

ISBN: 84-9754-221-5
Depósito legal: B-27.876-2006

Impreso en Hurope, S.L.
Lima, 3 bis - 08030 Barcelona

Impreso en España - *Printed in Spain*

Índice

Hojas, frutos, aromas vegetales

El pequeño químico en su cocina

Juegos de tierra, barro y agua

Electricidad y magnetismo

¿Qué es un experimento?

La palabra experimento proviene del latín *experimentum*, que viene a significar ensayo, prueba, demostración.

Los experimentos son la base de las ciencias naturales modernas. Se trata de un procedimiento de ensayo exactamente determinado, con cuya ayuda se quiere confirmar o rebatir una hipótesis (suposición). Todo experimento científico debe poder ser reproducido por otra persona que utilice el mismo procedimiento, y llegar al mismo resultado. Dicho resultado debe ser además cuantificable, es decir, que se pueda medir, contar o pesar.

Medida y cuantificación permiten demostrar, entre otras cosas, que determinados procesos obedecen a unas leyes. Una temperatura corporal comprendida entre los 37 y los 37,5 °C viene considerándose normal una vez se ha comprobado que es la temperatura que se mide en las personas sanas. Cuando medimos una temperatura corporal y la hallamos fuera de ese rango, digamos por ejemplo 38,6 °C, supondremos que hay una anomalía. Al mismo tiempo el sujeto suele tener sensación febril y malestar.

Las anomalías son estudiadas por los científicos y los investigadores hasta que se consigue averiguar sus causas, lo que va a permitir remediarlas. Por ejemplo, si uno tiene fiebre, el médico sabrá lo que debe hacer para restablecer el estado normal.

Los experimentos de este libro aportan algunas revelaciones sorprendentes acerca de la naturaleza que nos rodea. Con el asombro viene la reflexión. Se trata de despertar el espíritu de investigación, la afición a descifrar mediante experimentos los secretos de la naturaleza. Aunque no lleguemos a agotar todos los experimentos, o no consigamos que algunos salgan bien, después de leer este libro contemplaremos con otros ojos el entorno que nos rodea.

Algunos experimentos van marcados con un pequeño recuadro a fin de destacar alguna de sus características. El significado de los diversos textos recuadrados es el siguiente:

MUY FÁCIL: expresión de significado claro, que alude a la facilidad para realizar el experimento.

AL AIRE LIBRE: el experimento debe llevarse a cabo en el exterior.

LARGA DURACIÓN: se requiere un tiempo prolongado para ver el resultado.

PRÁCTICA Y PACIENCIA: elementos que el niño debe poner en juego para realizar con éxito el experimento.

¡ATENCIÓN!: el experimento entraña algún riesgo potencial y por ello se requiere la colaboración de un adulto.

Hojas, frutos, aromas vegetales

1. Colección de «hojas volantes»

MUY FÁCIL

Se necesita:

- hojas de distintos árboles y arbustos de hoja caduca (por ejemplo, de encina, arce, haya, olmo, chaparro, acacia blanca)
- varios libros gruesos
- papel de periódico
- pegamento, taladradora y archivador

Y se hace así:

1. Recogemos hojas verdes y secas, procurando identificar la especie de la que proceden.
2. Elegir los mejores ejemplares y guardarlos entre hojas de papel de periódico, con libros encima.
3. Una vez prensadas las hojas, las pegamos sobre cartulinas tamaño folio, rotulamos al pie de cada ejemplar, taladramos las cartulinas y las clasificamos en un archivador de anillas.

¿Qué ocurre entonces?

Que hemos formado un muestrario botánico o «manual de biología». Si las hojas han sido prensadas y secadas correctamente, se conservarán durante mucho tiempo y podremos consultar nuestro manual siempre que sea necesario.

2. Enigmas de las frutas

Se necesita:

- frutos de varios orígenes (por ejemplo, castañas, bellotas de encina y de chaparro, nueces, avellanas, cacahuetes, manzanas, ciruelas, alubias, garbanzos, etc.
- 1 cuchillo afilado

Y se hace así:

Estudiar el aspecto exterior de los frutos. A continuación, abrirlos con el cuchillo.

¿Qué ocurre entonces?

Observaremos que cada fruto encierra por lo menos una semilla, protegida por la cáscara y una o varias envolturas.

¿Cómo se explica eso?

Los frutos son órganos de las plantas superiores, destinados a contener las semillas. También podríamos definir el fruto como el ovario maduro de la planta, que contiene las semillas, es decir la flor que ha perdido los pétalos, así como los estambres y el estigma.

roble

haya

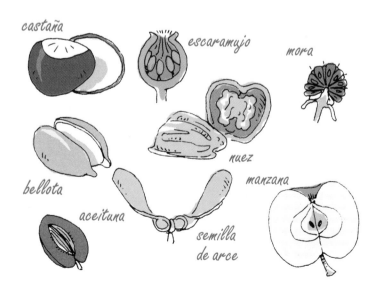

castaña

escaramujo

mora

nuez

bellota

aceituna

semilla de arce

manzana

Qué más hay que saber:

Se distinguen dos grupos principales:

1. Los monotalámicos, que provienen de una sola flor, como son los de pepita dura, las bayas y las nueces.

2. Los politalámicos, o múltiples, que provienen de dos o más flores unidas. Ejemplos: las fresas, las manzanas, la piña americana o ananás.

Entre los frutos simples, formados a partir de gineceos unicarpelares o sincárpicos, distinguimos los secos y los carnosos.

Con atención al mecanismo de difusión de las semillas, también se clasifican en dehiscentes e indehiscentes:

1. Dehiscentes son los que después de la maduración se abren para dejar en libertad las semillas. A este grupo pertenecen todos los vegetales que tienen frutos en forma de vainas, como las alubias, los guisantes y los garbanzos, o de cápsulas, como la amapola.

2. Indehiscentes, los que no se abren para soltar las semillas cuando están maduros. Éstas suelen hallarse rodeadas de una pulpa. Entre los indehiscentes secos hallamos frutos como la nuez, la avellana o la bellota, cuya semilla está protegida por un pellejo de consistencia leñosa, o como de cuero, o como un tegumento.

3. Las bayas son indehiscentes con zumo, es decir con una pulpa jugosa que rodea las numerosas semillas. Entre éstas cabe citar las uvas. Hay también seudobayas y pepónides, como los tomates, los pimientos y las calabazas.

Entre los frutos colectivos o agregados se hallan muchas variantes:

1. Plurifolículos (cada carpelo origina un folículo, que quedan libres sobre un eje, como el eléboro); los pluridrupa (numerosos carpelos unispermos que se desarrollan como drupas sobre un eje seco, como la frambuesa.

2. Conocarpos (poliaquenios de eje carnoso y comestible, y cáliz persistente, como las fresas y los fresones).

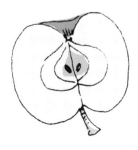

3. Rey de las piñas

Se necesita:
- piñas de coníferas (abeto, pino, ciprés)
- 1 lupa

Y se hace así:
1. Coleccionar las piñas.
2. Observarlas con la lupa, procurando distinguir el mayor número de detalles posible.

¿Qué ocurre entonces?
Comprobaremos que algunas piñas están herméticamente cerradas, y otras entreabiertas. Esta circunstancia depende de la humedad ambiente.

¿Cómo se explica eso?
Los árboles de hoja aciculada como el pino, el abeto, el cedro, el ciprés, etc., tienen hojas en forma de aguja que además son perennes, es decir siempre verdes. Una envoltura exterior impermeable, la cutícula, impide su desecación. A diferencia de los árboles de hoja caduca, que tienen flores y frutos, tienen piñas o «conos» que suelen ser monoicos, es decir masculinos y femeninos bien diferenciados. Las semillas se asientan directamente sobre el eje del cono, motivo por el que este grupo vegetal se conoce como de las gimnospermas (semillas desnudas en griego). Los óvulos están en escamas seminíferas en las axilas de las brácteas o escamas que salen del eje de la piña. El viento transporta el polen de los conos masculinos hacia los femeninos, donde se produce la fecundación.

de abeto rojo

de pino

de cedro

bráctea con dos piñones

alerce

4. Polvos de picapica

Se necesita:
- escaramujo maduro
- 1 cuchillo
- 1 cucharilla de té
- 1 colaborador que no se enfade demasiado

Y se hace así:
1. Con el cuchillo, cortar por la mitad unas bayas de esta especie de rosal silvestre. Usaremos la cucharilla para rascar el interior de la baya y sacarle las semillas.
2. Introducir las semillas por el cuello de la camisa del sujeto a quien deseemos molestar.

¿Qué ocurre entonces?
El sujeto tendrá que rascarse, porque esas semillas producen un picor invencible. Pero ¡atención!, porque esa persona sin duda buscará venganza.

¿Cómo se explica eso?
Se debe a un gran número de pelos diminutos y muy finos que tienen las semillas.

Qué más hay que saber:
El escaramujo o rosal silvestre es una fanerógama cuya flor corresponde al tipo sincarpo, es decir con los carpelos del gineceo unidos. El fruto, también llamado escaramujo, madura en otoño.

5. ¡Delicioso!

MUY FÁCIL

Se necesita:
- moras del bosque, maduras
- 1 yogur natural
- un poco de azúcar vainillado
- 1 tazón
- 1 cuchara

Y se hace así:
1. Lavar a fondo las moras para limpiarlas de polvo y tierra.
2. Agregarlas al yogur en el tazón, remover y añadir el azúcar vainillado.

¿Qué ocurre entonces?
Que se nos abrirá un apetito inmenso y el tazón no tardará en quedar vacío.

¿Cómo se explica eso?
Las moras contienen grandes cantidades de vitamina C y provitamina A. Ambas estimulan las defensas del organismo y nos protegen frente a diversos contagios.

6. Bulbo con barba

Se necesita:
- 1 cebolla grande
- 1 tarro de mermelada, lleno de agua

Y se hace así:
1. Colocar la cebolla sobre la boca del vaso de modo que la parte inferior quede sumergida en el agua.
2. Esperar algunas semanas, durante las cuales iremos reponiendo a intervalos el agua que se haya evaporado.

¿Qué ocurre entonces?
De la parte sumergida en el agua brotan raíces.

¿Cómo se explica eso?
Las raicillas que brotan de la parte inferior del bulbo (de donde nace la planta de la cebolla) absorben agua e inician su crecimiento.

7. Brotes verdes

Se necesita:
- rábanos, nabos, zanahorias, chirivías, raíces de perejil y otras raíces alimenticias del mercado
- 1 bandeja o plato grande
- papel de cocina, servilletas de papel, o algodón
- 1 botella con difusor, llena de agua

¿Qué ocurre entonces?
El nudo verde que tienen las raíces napiformes es lo que queda del tallo cortado de la planta, pero rebrota si encuentra humedad suficiente. Le suministra energía para el crecimiento la sustancia alimenticia contenida en el trozo de raíz, proceso que cursa con absorción de oxígeno del aire. Si llega a formarse un número suficiente de hojas verdes, la planta iniciará la fotosíntesis, es decir que fabricará azúcares a partir del dióxido de carbono atmosférico y del agua.

Y se hace así:
1. Disponer en la bandeja o plato una capa de papel de cocina, algodón o servilletas de papel.
2. Humedecer todo el papel pulverizando agua con la botella.
3. Cortar las tapas superiores de las raíces, con el brote de la planta.
4. Colocarlas sobre el papel humedecido.
5. Colocar el plato en un lugar soleado, y humedecerlo de vez en cuando con la botella de agua.

8. Laberinto de patata

Se necesita:

- 1 caja de zapatos con la tapa
- cartulina
- 1 recipiente pequeño y plano de plástico, lleno de tierra
- 1 patata vieja con yemas
- cinta adhesiva

Y se hace así:

1. Colocar una patata en el recipiente de plástico lleno de tierra de modo que alguna yema quede mirando hacia arriba. Colocar el recipiente arrimado a un rincón de la caja de zapatos.
2. Con trozos de cartulina recortados y cinta adhesiva, construir un «laberinto», como se muestra en la ilustración.
3. En la pared de la caja más alejada del rincón donde hemos puesto el recipiente de plástico, practicar un agujero de unos tres centímetros de diámetro.
4. Colocar la tapa de la caja de zapatos y disponer todo en un lugar soleado.

¿Qué ocurre entonces?

Al cabo de algunos días, los brotes blanquecinos de patata habrán recorrido el laberinto hasta asomar y salir por el agujero al exterior. En cuanto reciban la luz, los brotes se colorearán de verde y les nacerán hojas. Como sugerencia para un posible concurso entre amigos: construir varios laberintos y ver cuál es la planta que asoma primero por el agujero.

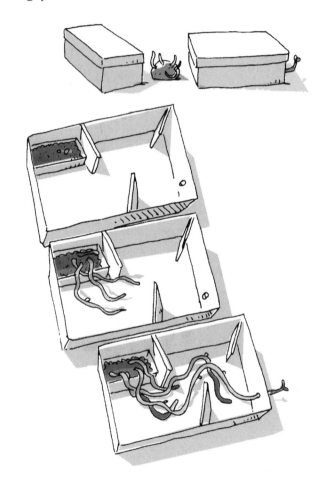

¿Cómo se explica eso?

Los brotes crecen buscando siempre la luz (fototropismo positivo), puesto que la necesitan para desarrollar la fotosíntesis mediante la clorofila y otros pigmentos, y ese proceso, a su vez, es necesario para la alimentación de la planta. El fototropismo se produce por alargamiento de las células en la región de crecimiento del tallo que está en la sombra, debido a la presencia de una hormona vegetal llamada auxina.

Qué más hay que saber:

El tubérculo de la patata, que es la parte de la planta que nos sirve de alimento, no es el fruto de ésta, ni tampoco un engrosamiento de la raíz, a diferencia de lo que ocurre con los nabos y las zanahorias, sino una terminación engrosada del tallo subterráneo. Lleva yemas en las axilas de hojas rudimentarias, y es un órgano de reproducción vegetativa. Las hojas verdes de la planta y sus frutos aéreos contienen solanina, que es una sustancia tóxica, y por tanto no son comestibles.

Se necesita:

- 1 zanahoria gruesa con un poco de brote de la planta
- hilo
- 1 brocheta (de las usadas para «pinchos morunos»)
- 1 cuchillo de cocina
- 1 cuchara

Y se hace así:

1. Cortar la zanahoria tres o cuatro centímetros por debajo de su extremo más grueso, y vaciarla de forma que se obtenga una especie de copa pequeña.
2. Pasar transversalmente el pincho y atar el hilo a los extremos del mismo, como se ve en la figura.
3. Colgar la «copa» de zanahoria en una ventana soleada y llenarla regularmente de agua.

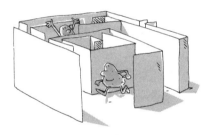

¿Qué ocurre entonces?

Aunque hayamos colgado la zanahoria con el tallo hacia abajo, al cabo de algunos días veremos cómo los brotes se doblan y suben verticalmente.

¿Cómo se explica eso?

Los brotes crecen siempre alejándose del centro de la tierra (geotropismo negativo). Como hemos colgado la zanahoria al revés, los brotes se hallan obligados a doblarse para seguir creciendo en el sentido acostumbrado. En cambio las raíces tienen geotropismo positivo, es decir que tienden a crecer hacia abajo.

10. Limón enmohecido

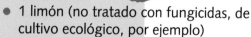

Se necesita:
- 1 limón (no tratado con fungicidas, de cultivo ecológico, por ejemplo)
- agua
- bolsa de plástico para el frigorífico

Y se hace así:
1. Lavar el limón y, sin escurrirlo, guardarlo en la bolsa de plástico.
2. Mantenerlo durante una semana, por lo menos, en un lugar oscuro y caliente.

¿Qué ocurre entonces?
Que no nos dé asco, pero se habrá formado sobre la corteza una capa verde de moho.

¿Cómo se explica eso?
Los mohos son desarrollos superficiales del micelio de unos hongos que colonizan las sustancias en descomposición. No tienen función clorofílica y por eso viven como saprofitos, que es como se llaman los organismos que se alimentan de los tejidos muertos o de la descomposición de plantas y animales.

11. Reproducción rápida

Se necesita:
- 2 patatas viejas (arrugadas)
- 1 jofaina llena de agua
- 2 bandejas pequeñas o platillos de postre
- papel de cocina o servilletas de papel
- 1 botella con difusor, llena de agua

Y se hace así:
1. Poner las dos patatas en remojo durante un par de horas, para que se hinchen.
2. Revestir el fondo de cada platillo con papel de cocina, y humedecerlo con agua de la botella.
3. Colocar una patata en cada uno de los platillos.
4. Colocar uno de los platillos con su patata en un lugar soleado; el otro, por el contrario, en un lugar oscuro (sótano, por ejemplo).

¿Qué ocurre entonces?
Transcurridos entre uno y tres días, las patatas habrán germinado. El espécimen mantenido a oscuras habrá formado unos brotes largos, delgados y desprovistos de color. La patata expuesta al sol dará brotes cortos, pero vigorosos y de intenso color verde, a los que pronto les saldrán hojas. Algo parecido a nuestro primer caso sucede también con las patatas que han permanecido demasiado tiempo en el verdulero de nuestra cocina.

A pesar de su extraño aspecto, no hay nada que temer: si la patata no presenta signos de pudrición, todavía se pueden cortar esos brotes para consumirla.

¿Cómo se explica eso?

Los brotes que le nacen a la patata a oscuras se alargan en su afán de buscar la luz. Ésta induce la formación del pigmento verde de las plantas, la clorofila, así como los procesos de la fotosíntesis que precisa la planta para su nutrición.

Qué más hay que saber:

Las plantas se reproducen por vía sexual, es decir mediante la polinización, la fecundación y la formación de semillas. Pero algunas especies también pueden reproducirse por procedimiento asexual, lo que se llama reproducción vegetativa, mediante yemas, rizomas, bulbos y tubérculos. Un sistema muy utilizado es el de los esquejes. En las fresas, por ejemplo, cuando uno de los tallos roza la tierra, uno de cada dos nudos echa raíces que dan lugar a un nuevo brote. Las cebollas y los ajos son tallos engrosados que almacenan sustancias nutrientes. Las patatas pueden reproducirse artificialmente por segmentos, es decir cortar una patata en rodajas (siempre que cada una de ellas contenga al menos una yema) y enterrarlas. De cada rodaja nacerá una planta nueva.

12. Manzana peluda

Se necesita:
- 1 manzana madura
- 1 cuchillo
- 2 platillos
- 1 bolsa de plástico para el congelador o un tazón de vidrio

Y se hace así:
1. Con el cuchillo, partir la manzana por la mitad y disponer cada una de las mitades en un platillo.
2. Meter uno de los platillos en la bolsa de plástico, o colocar sobre la media manzana un tazón de vidrio puesto al revés, para que el agua tarde en evaporarse.

¿Qué ocurre entonces?
¡Oh, no! ¡Otra vez! Pese a estar protegida por la bolsa de plástico o por el tazón de vidrio, la media manzana aparece recubierta de una capa de moho. Es un poco repugnante, pero vale la pena conocer todo lo relativo a los mohos. La otra mitad de manzana, que hemos dejado destapada, se habrá secado, pero no debe tener moho.

¿Cómo se explica eso?
Los mohos se crían en condiciones de calor y humedad. En el recipiente tapado se desarrollan bien porque el agua que contiene la pulpa de la manzana no llega a evaporarse. Algunos mohos son perjudiciales, como el del pan, que además es capaz de descomponer y destruir otras muchas sustancias orgánicas, o el botridium, que origina la podredumbre de la uva y afecta a los vinos. Son causa de muchas enfermedades humanas y animales, pero también los hay útiles, como el moho de la penicilina, y el moho de las moscas, que extermina a estos insectos en otoño.

13. Certificado de madurez

Se necesita:
- 1 bolsa de fruta no madura (peras, melocotones, plátanos)
- 1 limón con moho

Y se hace así:
Poner el limón enmohecido en la misma bolsa de la fruta.

¿Qué ocurre entonces?
La fruta madura con rapidez.

¿Cómo se explica eso?
Los mohos que crecen sobre la piel del limón despiden gas etileno. En una atmósfera de este gas las frutas aceleran su maduración. Antes de comerlas, no olvidemos lavarlas a fondo bajo el agua corriente del grifo.

Qué más hay que saber:
El etileno es un gas incoloro, de olor dulzón, no tóxico, e inflamable. Se encuentra en la fruta durante el proceso de maduración, pero también puede obtenerse por métodos químicos. Se utiliza para acelerar la maduración de los cítricos y los plátanos recogidos prematuramente.

14. Perfume de hierbas

MUY FÁCIL

Se necesita:
- 1 manojo de hierbas que sean muy aromáticas (por ejemplo albahaca, tomillo, menta)
- 1 bolsa de plástico para el frigorífico
- 1 colaborador

Y se hace así:
1. Meter las hierbas en la bolsa y cerrarla anudándola bien.

2. Nos acercamos con la bolsa a la otra persona, pero deteniéndonos a unos dos metros de distancia de ella.
3. Agitar la bolsa y preguntarle a nuestro colaborador si nota algo (que va a ser que no).
4. Sacar las hierbas de la bolsa y agitarlas de nuevo.

¿Qué ocurre entonces?
Nuestro colaborador percibirá el aroma de las hierbas y comentará algo por el estilo de «¡qué bien huele!».

¿Cómo se explica eso?

Los aromas que contienen las hierbas son moléculas que escapan al aire. Al respirarlas, estas moléculas penetran en las fosas nasales, donde excitan las terminaciones nerviosas que transmiten la sensación olfativa al cerebro. Con la bolsa cerrada esas emanaciones no podían escapar al ambiente exterior.

Se necesita:

- media cebolla
- agua
- 1 cuchillo
- 1 plato sopero
- polvo muy fino y suelto (por ejemplo, talco ultrafino para bebés)

Y se hace así:

1. Echar agua en el plato sopero.
2. Espolvorear un pellizco de talco sobre la superficie inmóvil del agua.
3. Cortar con el cuchillo un trozo de cebolla y acercar ese trozo recién cortado a la superficie del talco.

¿Qué ocurre entonces?

Parece que el talco se mueve, porque se producen agujeros en la superficie del mismo.

¿Cómo se explica eso?

Como se adivina con relativa facilidad, no son nuestras artes mágicas las que mueven el talco, sino las moléculas aromáticas que despide la cebolla.

16. ¡Narices tapadas!

Se necesita:
- 1 colaborador que sea pacienzudo
- 1 manzana hervida, pelada
- 1 patata hervida, pelada
- 1 zanahoria hervida
- 1 cucharilla del té
- 1 bufanda
- 3 platillos
- 1 tenedor

Y se hace así:
1. Disponer sobre uno de los platillos la manzana, sobre el segundo la patata, y sobre el tercero la zanahoria. Machacar el contenido de los platos con ayuda del tenedor, hasta reducirlos a puré (pero limpiando el tenedor cada vez).
2. Con la bufanda, vendar los ojos a nuestro ayudante en el experimento y solicitarle que se tape la nariz.
3. Poner la cucharilla en la mano de nuestro ayudante y decirle que pruebe lo que hay en cada uno de los platillos, después de lo cual nos dirá lo que es.

¿Qué ocurre entonces?
El sujeto del experimento no reconoce lo que come, o sólo con mucha dificultad.

¿Cómo se explica eso?
Las papilas gustativas de la lengua sólo distinguen cuatro sabores: el dulce, el salado, el ácido y el amargo. Todos los demás matices del gusto los transmite en realidad el olfato. Al probar un plato con la nariz tapada, nuestro ayudante no puede captar los aromas de cada alimento, y como además son de consistencia parecida le resultará casi imposible distinguirlos.

El pequeño químico en su cocina

¡ATENCIÓN!

Con la ayuda de una persona adulta

Se necesita:
- 3 cucharadas de azúcar
- 1 sartén
- 1 o 2 cucharadas de mantequilla
- papel parafinado de pastelería
- 1 cucharón
- unas gotas de agua

Y se hace así:
1. Extender una hoja de papel parafinado sobre la mesa de la cocina.
2. Echar el azúcar en una sartén, agregar unas gotas de agua y añadir la mantequilla.
3. Calentar a fuego lento y removiendo constantemente, para evitar que se recaliente la sartén y prenda fuego.
4. Cuando el azúcar y la mantequilla se hayan fundido formando una masa amarillenta, vertemos ésta sobre el papel parafinado.

¿Qué ocurre entonces?
Al cabo de unos minutos la masa se habrá solidificado. Puede romperse o cortarse en forma de caramelos para envolver, y seguramente los hallaremos bastante sabrosos. Aquí sugerimos no acabar con todos de una sola sentada.

¿Cómo se explica eso?
Los ingredientes azúcar, mantequilla y agua han dado, con la aportación de calor, una combinación nueva, el caramelo. Esta combinación tiene propiedades (físicas) diferentes de las de los ingredientes que la integran. Pero también el azúcar, el agua y la

mantequilla, los ingredientes de nuestro caramelo, son combinaciones, que tienen propiedades (físicas y químicas) diferentes de los elementos en que pueden descomponerse. Si se descompone el agua, un líquido, se obtienen dos gases, oxígeno e hidrógeno. El azúcar y la mantequilla son compuestos de los elementos carbono, oxígeno e hidrógeno en determinadas proporciones y con determinadas estructuras moleculares.

microscopios más poderosos del mundo. Sin embargo, la física atómica nos enseña que están compuestos de partículas que son los electrones, los protones y los neutrones. Los protones y los electrones tienen carga eléctrica. Los protones transportan una carga positiva, y los electrones, una carga negativa. Los neutrones, como su nombre indica, tienen comportamiento eléctricamente neutro, y se hallan con los protones en el núcleo del átomo. Alrededor de este núcleo se mueven los electrones ocupando determinados niveles de energía llamados orbitales. Los átomos de cada elemento contienen un número determinado de protones, y el mismo número de electrones, de modo que el átomo en reposo presenta hacia el exterior un comportamiento eléctricamente neutro, porque las cargas positivas (+) de los protones y las negativas (-) de los electrones se equilibran.

Qué más hay que saber:

Para los químicos en ciernes, veamos aquí algunas informaciones fundamentales. Elementos son las sustancias que no pueden descomponerse químicamente (porque sólo contienen los átomos propios de ese elemento). Entre ellos se distinguen dos grupos principales: los elementos metálicos y los no metálicos. Todos los metales son sólidos excepto el mercurio, el único metal líquido. Todos los no metales son sólidos o gaseosos, excepto el bromo, el único no metal líquido. La unidad más pequeña en que puede descomponerse un elemento, como queda dicho, es el átomo. Es decir, que una cantidad de hidrógeno se compone de átomos de hidrógeno. Los átomos son tan pequeños que no podemos verlos ni a través de los

18. Tostón de la tostadora

Se necesita:
- 1 tostadora
- 1 rebanada de pan de molde

Y se hace así:
1. Enchufar la tostadora y ponerle una rebanada de pan.
2. Cuando salte la rebanada tostada, retirarla.

¿Qué ocurre entonces?
El pan blanco está dorado, y en algunas partes tal vez ennegrecido.

¿Cómo se explica eso?
El pan consiste en carbohidratos. Los hidratos de carbono del pan son una combinación de carbono, hidrógeno y oxígeno. Al calentar fuertemente el pan, una parte de los carbohidratos se transforma en hollín negro. Al mismo tiempo se desprende agua (óxido de hidrógeno), que escapa en forma de vapor.

19. Cómo fabricar azúcar moreno

Se necesita:
- unos 125 ml de agua muy caliente
- 2 tazas de azúcar
- 1 tarro de los usados para encurtidos, lavado y escurrido
- 1 cuchara
- 1 lápiz
- hilos de algodón

Y se hace así:
1. Echar el agua caliente en el tarro y agregar azúcar, removiendo constantemente hasta disolverlo por completo sin dejar ningún poso de azúcar en el fondo.
2. Atar al lápiz puesto horizontalmente varios trozos de hilo de algodón.
3. Cruzar el lápiz sobre la boca del recipiente de modo que los extremos de los hilos queden sumergidos en el agua.
4. Dejar el tarro en un lugar caliente durante dos días o más.

¿Qué ocurre entonces?
Han aparecido cristales de azúcar en los hilos. ¡Ya tenemos nuestro azúcar cande!

¿Cómo se explica eso?
La solución azucarada penetra en los hilos de algodón y los empapa. El agua de los hilos se evapora y deja los cristales de azúcar.

Qué más hay que saber:
Los hidratos de carbono son combinaciones de carbono, hidrógeno y oxígeno. Los carbohidratos dulces y solubles en agua se llaman azúcares. Al azúcar que consumimos habitualmente en casa los químicos lo llaman sacarosa. Se trata de un azúcar doble, que se desdobla en glucosa o azúcar de uva, y fructosa.

20. Azúcar que arde

¡ATENCIÓN!

Con la ayuda de
una persona adulta

Se necesita:
- 2 terrones de azúcar
- 1 platillo
- cerillas
- ceniza (de un cigarrillo, por ejemplo)

Y se hace así:
1. Disponer uno de los terrones de azúcar sobre el platillo y tratamos de prenderle fuego. (No se consigue, en todo caso el azúcar funde enseguida tomando un color pardo como de caramelo.)
2. Colocar el segundo terrón de azúcar sobre el platillo, espolvorearlo con un poco de ceniza y removerlo.
3. Acercar a este otro terrón de azúcar la llama, para tratar de prenderlo.

¿Qué ocurre entonces?
El terrón de azúcar se inflama y arde con llama de color azul pálido.

¿Cómo se explica eso?
La ceniza fomenta la combustión del azúcar pese a que no interviene en ella. En este caso la ceniza ha actuado como un catalizador.

Qué más hay que saber:
Muchas reacciones químicas se producen con más rapidez, o se hacen posibles, en presencia de sustancias extrañas al proceso. Son los llamados catalizadores. El catalizador acelera la reacción pero no entra en ella. En los tubos de escape de los automóviles va un catalizador que facilita la conversión de los gases de la combustión en otros menos perjudiciales para el medio ambiente.

21. Pan dulce

Se necesita:
- 1 trozo de pan

Y se hace así:
Muerde un bocado de pan y mastícalo largo rato, a fondo, antes de tragarlo. Observa qué sabor tiene antes y después de esa masticación prolongada.

¿Qué ocurre entonces?
Al principio tiene sabor casi salado, pero si se mastica largamente adquiere un sabor dulce.

Qué más hay que saber:
Los enzimas son catalizadores compuestos de proteínas. Los capaces de descomponer el almidón se llaman amilasas.

22. Harina azul

¡ATENCIÓN!

Con la ayuda de una persona adulta

Se necesita:
- solución de yoduro potásico, llamado también solución de Lugol
- harina
- agua caliente y agua fría
- 1 cuchara
- 1 taza
- 1 plato

Y se hace así:
1. Mezclar en la taza una cucharada de harina y un poco de agua fría, y remover.
2. Agregar ahora agua muy caliente.
3. Dejar que se enfríe la mezcla, sacar una cucharada de ella y pasarla al plato, y verter sobre ésta unas gotas de solución yodada.

¿Qué ocurre entonces?
Aunque no demos crédito a lo que vemos, la mezcla toma un extraordinario color azul.

¿Cómo se explica eso?
La harina contiene almidón, que forma un compuesto azul con el yodo, lo que constituye un ensayo clásico para demostrar su presencia.

Qué más hay que saber:

El almidón está formado por muchas moléculas de glucosa. Se encuentra sobre todo en los órganos de acumulación de reservas de los vegetales (tubérculos, bulbos), en los frutos y en las semillas. Es uno de nuestros alimentos más importantes. Los cereales y sus harinas lo contienen. Se emplea en la fabricación de pegamentos baratos (engrudo de almidón) y en la del alcohol industrial.

El yodo es un elemento del que nuestro organismo necesita algunas trazas para que la glándula tiroides pueda formar su hormona, la tri-yodo-tiroxina. En el agua del mar se hallan algunas proporciones de sales de yodo (yoduros y yodatos), de ahí que se recomiende el uso de sal marina para la prevención de afecciones como el bocio por hipertrofia de la tiroides.

El yodo puro es un sólido de brillo metálico entre azul oscuro y violeta, que funde a 113,5 °C; en estado líquido presenta una coloración marrón. Es poco soluble en agua y fácilmente soluble, por el contrario, en éter, alcohol o benceno. Los vapores de yodo en concentraciones fuertes irritan los ojos y las mucosas.

23. Levadura y globo

Se necesita:
- 1 botella de plástico
- agua caliente
- 3 cucharaditas de levadura
- 2 cucharaditas de azúcar
- 1 globo

Y se hace así:
1. Verter la levadura y el azúcar en la botella, y agregar poco a poco el agua caliente.
2. Enchufar el globo en el gollete de la botella y esperar una hora.

¿Qué ocurre entonces?
La superficie del líquido burbujea, y el globo se hincha solo como si lo soplase el espíritu de la botella.

Qué más hay que saber:
El pan y las bebidas alcohólicas se producen por fermentación. En este proceso, la levadura actúa como un catalizador biológico. Está compuesta por unos hongos unicelulares que se multiplican por gemación, y segregan enzimas de los que depende su actividad industrial. En la fabricación del pan descomponen el almidón en azúcares, primero, y luego en dióxido de carbono. Cuando la masa fermenta vemos cómo «sube», es decir que aumenta de volumen al formarse el dióxido de carbono, el cual esponja el pan. Este proceso de «subida de la masa» puede observarse fácilmente en casa cuando se confecciona algún pastel.

24. Tinta simpática de harina

Con la ayuda de una persona adulta

Se necesita:
- 1 cucharada de harina
- 1 vaso medidor
- agua
- tintura de yodo con cuentagotas (de la farmacia)
- 1 cuchara
- papel de cocina
- 2 varillas con punta de algodón
- zumo de limón
- 1 recipiente hondo

Y se hace así:
1. Medir 60 ml de agua con el vaso medidor.
2. Echar en el recipiente una cucharada de harina, añadir el agua y remover a fondo con la cuchara.
3. Sumergir una varilla con punta de algodón en la mezcla de harina y agua, y escribir con ella una frase sobre el papel de cocina. (Cuando se haya secado lo escrito, quedará invisible.)
4. Con la otra varilla, pintar de tintura de yodo el lugar donde se escribió el texto.
5. Esperar un rato, y mojar luego el papel con zumo de limón.

¿Qué ocurre entonces?

Las letras de harina al mojarlas con el yodo toman una coloración azul-negra y puede leerse lo escrito. Al mojarlas luego con zumo de limón el letrero desaparece otra vez. En otros tiempos las tintas simpáticas tuvieron su importancia y aparecen en algunos relatos policíacos y de espías.

¿Cómo se explica eso?

El yodo reacciona con el almidón contenido en la harina. Pero cuando se añade el zumo de limón, el ácido ascórbico que éste contiene se combina con el yodo formándose otro compuesto, esta vez incoloro. Por eso vuelve a desaparecer lo escrito.

Se necesita:

- 1 limón
- 1 exprimidor
- 1 tazón o platillo
- agua
- 1 cuchara
- varillas con punta de algodón
- papel blanco
- lámpara

Y se hace así:

1. Exprimir el limón y pasar el zumo a un platillo. Rebajarlo con un poco de agua y remover con la cuchara.
2. Remojar la varilla con punta de algodón y escribir una frase en el papel blanco. (Cuando esté seco lo escrito quedará invisible.)
3. Calentar el papel acercándolo a la bombilla de la lámpara encendida.

¿Qué ocurre entonces?

Leemos ahora lo escrito y podemos dedicarnos tranquilamente a fundar un club de detectives.

¿Cómo se explica eso?

El zumo de limón contiene compuestos de carbono que disueltos en agua son incoloros. Al calentarlos, estos compuestos se fraccionan y aparece carbono amorfo: el papel se oscurece.

26. Globo que sube

Se necesita:
- 1 globo comprado en la feria
- 1 globo hinchado por nosotros

Y se hace así:
Una vez en casa, soltar ambos globos en la habitación.

Qué más hay que saber:
Los compuestos que contienen carbono se llaman orgánicos porque, lo mismo que las sustancias que se encuentran en los organismos vivos, contienen carbono. El azúcar (dextrosa), la mantequilla, la miel (fructosa), el vinagre común (ácido acético), son compuestos orgánicos. Otros que no contienen carbono, como la arcilla (óxidos de aluminio) o la sal común (cloruro sódico) se llaman compuestos inorgánicos.

¿Qué ocurre entonces?
El globo de la feria sube y se queda pegado al techo. El que hemos inflado nosotros no sube sino que cae al suelo.

¿Cómo se explica eso?
El globo de la feria ha sido hinchado con helio, un gas más ligero que el aire. Por tanto, este globo obedece al principio de que «todo cuerpo sumergido en un fluido experimenta un empuje ascensional», etc.

27. Antioxidante

MUY FÁCIL

Qué más hay que saber:

El átomo de helio tiene dos electrones en su envoltura exterior. Esta configuración es muy estable, de manera que puede emplearse con seguridad en el llenado de globos que floten en el aire. Por eso el helio pertenece al grupo de los gases nobles, que bajo condiciones normales no se combinan con ningún otro elemento.

Se necesita:

- 3 tarros de mermelada vacíos
- agua caliente y agua fría
- aceite
- 3 clavos de hierro
- papel de lija fino

frío   frío   caliente

Y se hace así:

1. Frotar los clavos con el papel de lija fino para abrillantarlos, o para eliminar un posible revestimiento antioxidante que les ponen de fábrica.
2. Llenar dos de los tarros con agua fría y el tercero con agua caliente.
3. Verter unas gotas de aceite en el agua caliente.
4. Echar uno de los clavos en el tarro con agua fría, y otro en el que contiene la mezcla de agua caliente con aceite. El tercer clavo lo frotamos con aceite para empaparlo y lo metemos en el segundo tarro que tiene agua fría.

¿Qué ocurre entonces?

El clavo echado en el primer tarro de agua fría se habrá oxidado al cabo de unos días. Los otros dos clavos no se alteran. No se han oxidado.

¿Cómo se explica eso?

Los objetos de hierro sumergidos se oxidan por reacción del oxígeno disuelto en el agua con el hierro. El clavo empapado de aceite no se oxida porque no llega a entrar en contacto con ese oxígeno. En el otro tarro, el agua después de calentarla ya no contiene oxígeno por haberse disipado éste con la ebullición. Y al echarle el aceite, hemos evitado que volviese a enriquecerse con oxígeno del aire porque el aceite forma una película en la superficie, de modo que tampoco ahí se ha oxidado el clavo.

Qué más hay que saber:

Oxidación es la unión química de un elemento con el oxígeno. Cuando se le quita a la combinación resultante este oxígeno tenemos la reacción contraria, que se llama reducción. Cuando interviene en una reacción una sustancia que contiene oxígeno y lo cede a otra sustancia, la primera se llama oxidante.

La química moderna define la oxidación y la reducción como procesos de intercambio de electrones, y establece que «oxidación es la pérdida de electrones» y «reducción es la ganancia de electrones» entre átomos y/o moléculas.

28. Cómo fabricar sal

Se necesita:

- sal
- 2 vasos o tazas
- hilo de algodón
- agua caliente
- 1 platillo
- 1 cuchara

Y se hace así:

1. Echar agua caliente en los dos recipientes, y colocar ambos en el alféizar de una ventana soleada.
2. Echar sal en ambos recipientes y remover. Continuar hasta que resulte imposible disolver más sal.
3. Introducir el extremo de un trozo de hilo en cada uno de los vasos, y colocar entre ambos un platillo en el que descanse el otro extremo de los hilos, como muestra la ilustración.

¿Qué ocurre entonces?

Al día siguiente se habrán formado ya los cristales de sal sobre los hilos.

¿Cómo se explica eso?

La solución salina empapa los hilos. El agua se evapora de éstos y queda la sal cristalizada.

Qué más hay que saber:

La sal de cocina es cloruro sódico, combinación de un metal blando, el sodio, con un gas venenoso, el cloro. En cambio la sal se presenta como sólido blanco y cristalino. En la solución, la sal se disocia en iones de sodio con carga positiva e iones de cloro con carga negativa. Los átomos de sodio han entregado un electrón de su envoltura exterior, el cual se asocia al electrón único del átomo de cloro dando un par de electrones. Es decir que la envoltura del átomo de sodio ha perdido un electrón; este átomo deja de ser eléctricamente neutro y queda con carga positiva, ya que el número de protones excede en uno al de electrones. Inversamente, el cloro tampoco es eléctricamente neutro porque ha adquirido un electrón más y, por tanto, carga negativa. Los átomos o grupos con carga eléctrica se llaman iones. En el estado cristalino, los iones quedan fijados en una especie de retícula o enrejado. De hecho, cada cristal aislado puede considerarse como una molécula gigantesca.

29. Agua y aceite

Se necesita:
- 2 cucharadas de agua
- 2 cucharadas de aceite
- colorante alimentario, o zumo de lombarda
- 1 botella con cierre hermético

Y se hace así:
1. Teñir el agua con colorante alimentario o con el zumo de lombarda.
2. Echar en la botella dos cucharadas de agua teñida y dos cucharadas de aceite, tapar y sacudir el recipiente con energía.
3. Dejar el recipiente sobre la mesa.

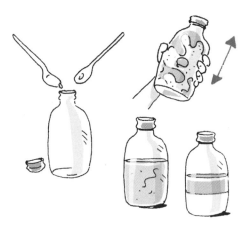

¿Qué ocurre entonces?
Al agitar la botella, el agua y el aceite se han mezclado, pero cuando dejamos la botella en reposo no tardan en separarse, y el aceite sobrenada.

¿Cómo se explica eso?
Aunque se hayan mezclado, el agua y el aceite no forman combinación ni verdadera solución, sino que continúan separados porque las moléculas del aceite se atraen entre sí más de lo que les atraen las moléculas de agua. El aceite flota sobre el agua porque tiene menos densidad. Por eso también la grasa y el aceite flotan en la superficie del caldo.

Qué más hay que saber:
Las grasas son sustancias que funden a 37 °C. Los sebos tienen temperaturas de fusión comprendidas entre 30 °C y 45 °C. Los aceites se hallan en estado líquido a temperatura ambiente. Todas estas sustancias llamadas lípidos provienen de las plantas y de los animales, por eso decimos que son grasas naturales. No se trata de sustancias puras sino de mezclas de los llamados ácidos grasos. La mantequilla, por ejemplo, contiene los ácidos oleico, palmítico, esteárico, mirístico y otros. Cada una de estas moléculas diferentes está formada por un número determinado de átomos de carbono, hidrógeno y oxígeno en una disposición determinada. Las moléculas que se disuelven con facilidad en el agua, llamadas hidrófilas o hidrosolubles, tienen regiones de carga relativamente positiva y relativamente negativa, por lo que atraen las moléculas de agua compitiendo con la atracción de dichas moléculas entre sí; esto es lo que hace posible que puedan difundirse entre ellas. En la solución la sustancia disuelta desaparece aparentemente pero sigue ahí, como lo demuestra la conservación de sus propiedades químicas. Las sustancias hidrosolubles pueden ser sólidas como la sal de cocina o el azúcar, líquidas como el alcohol, o gaseosas como el dióxido de carbono disuelto en las bebidas espumosas y el agua mineral. En los aceites, las grasas y los sebos no hay cargas moleculares positivas o negativas, y no son solubles en el agua. Las moléculas de ésta se atraen entre sí y tienden puentes. Las moléculas de los lípidos quedan excluidas y se aglomeran como las gotitas amarillas de grasa en la superficie del consomé de pollo.

30. Cuestión de gustos

Se necesita:
- 5 vasos
- zumo de limón
- vinagre
- sal
- azúcar
- agua

Y se hace así:
1. Echar en uno de los recipientes una cucharada de azúcar, en otro una cucharada de sal, y rellenar ambos de agua.
2. En el tercer vaso echaremos un poco de zumo de limón, en el cuarto un poco de vinagre, y agregaremos en ambos un poco de agua para rebajar.
3. El quinto vaso se llenará de agua pura.

¿Qué ocurre entonces?
La solución azucarada tiene sabor dulce. La solución salina tiene sabor salado. Las de vinagre y limón tienen sabor ácido. El agua es insípida, es decir que no debería saber a nada.

Qué más hay que saber:
El vinagre y el limón tienen sabor ácido, porque son ácidos (aunque débiles). Al masticar alimentos dulces también se producen ácidos débiles en la cavidad bucal, aunque la saliva tiene reacción débilmente básica y puede neutralizarlos.

Las bases son combinaciones que neutralizan los ácidos. En esta reacción aparecen moléculas de agua. Se suele aplicar el nombre de «lejía» a las soluciones de bases en agua. Como regla general, al mezclar una base con un ácido se obtiene una sal más agua.

azúcar   sal   limón

vinagre   agua

31. ¿Dónde está la sal?

Se necesita:
- 1 cucharada de sal
- 1 cucharada de harina blanca
- agua
- 2 tazones pequeños

Y se hace así:
1. Echar agua en los dos tazones.
2. Agregar sal en uno de los tazones y harina en el otro. Remover.

¿Qué ocurre entonces?
Al cabo de un rato, la harina cae al fondo del tazón. La sal ha desaparecido.

¿Cómo se explica eso?
La harina no se disuelve en el agua, sino que permanece separada y acaba por depositarse en el fondo. En cambio la sal se ha disuelto.

32. Palidez elegante

Se necesita:
- 1 taza de té negro
- $\frac{1}{2}$ limón
- 1 exprimidor

Y se hace así:
Exprimir el limón y echar el zumo en el té.

¿Qué ocurre entonces?
El zumo de limón destiñe el té, y éste queda (casi) incoloro.

¿Cómo se explica eso?
El zumo de limón tiene actividad decolorante. Reacciona con el pigmento que contiene el té y lo aclara.

33. Secretos de la col

Se necesita:
- 1 tarro de col lombarda al natural
- papel de cocina
- 1 tarro grande de cristal, de boca ancha, vacío
- 1 plato
- 1 colador

Y se hace así:
1. Con ayuda del colador, colar el zumo de lombarda al tarro grande.
2. Recortar en el papel de cocina dos tiras de unos 5 cm de ancho.
3. Introducir las tiras de papel de cocina en el zumo de lombarda y dejarlas en remojo durante un minuto aproximadamente.
4. Sacar las tiras de papel, disponerlas en un plato de fondo plano y dejar que escurran y se sequen.

¿Qué ocurre entonces?
Las tiras de papel de cocina han absorbido el zumo de lombarda y pueden utilizarse ahora como papel reactivo para analizar los comportamientos de ácidos y bases, es decir como indicador del pH. Se llaman indicadores las sustancias que cambian de color según el resultado de una determinada reacción, en este caso la de ácidos y bases.

¿Cómo se explica eso?
La col lombarda contiene un pigmento que cambia de color al introducirlo en un medio ácido o básico. Por eso sirve de indicador del pH.

Qué más hay que saber:
El valor pH (abreviatura de potencial hidrógeno) expresa la concentración de iones hidrógeno que existe en una solución. La escala del pH varía entre el valor cero y el valor 14. Un valor de 7 equivale a reacción neutra. Los valores inferiores a 7 indican reacción ácida, y los superiores a 7, reacción básica.

34. ¿Leche verde?

Se necesita:
- varios vasos de cartón
- 1 cuchara
- zumo de lombarda
- vinagre
- varios zumos amarillos
- agua jabonosa o con lejía
- leche

Y se hace así:
1. Para cada líquido del ensayo preparar un vaso de cartón.
2. Echar en cada vaso de cartón una cucharadita de zumo de lombarda.
3. Agregar en cada vaso 1 o 2 cucharadas del líquido que vayamos a ensayar (limpiando la cuchara cada vez)

¿Qué ocurre entonces?
Los líquidos ácidos toman una coloración rosada, y los básicos se tiñen de verde. ¡A veces los experimentos dan resultados bien espectaculares!

¿Cómo se explica eso?
El zumo de lombarda contiene un pigmento capaz de cambiar (o «virar», como dicen los químicos) de color según el medio en que se halle. Ante un valor pH inferior a 7 (reacción ácida) toma color rosa, y ante un valor pH superior a 7 (reacción básica) toma color verde. En un medio ácido el pigmento de la lombarda reacciona con los iones hidrógeno positivos del agua y de ahí la coloración rosada.

vinagre · rosa

zumo de naranja · rosa

agua de fregar (con lejía) · verde

leche · verde

35. Especias de la india

¡ATENCIÓN!

Se necesita:
- 1 cucharada de cúrcuma (especia de la India)
- 1 taza de agua
- 1 cuchara
- papel de cocina

Y se hace así:
1. Echar la cúrcuma en el recipiente con agua y remover a fondo.
2. En el líquido de color ocre dorado que se obtiene poner a remojar unas tiras de papel de cocina durante un minuto aproximadamente.
3. Retirar las tiras de papel de cocina y depositarlas en un plato de fondo plano para que escurran y se sequen.

¿Qué ocurre entonces?

Las tiras de papel de cocina absorben el líquido y pueden servir ahora como indicadores ácido-base (véase el experimento n.° 33).

¿Cómo se explica eso?

La solución de cúrcuma contiene un pigmento que cambia de color al introducirlo en un medio ácido o básico. En presencia de un ácido fuerte toma color amarillo, y sumergido en una base fuerte pasa al rojo-pardo. En un medio ácido el pigmento de la cúrcuma reacciona con los iones hidrógeno positivos y se produce el color amarillo.

36. Juegos de agua reales

Se necesita:
- varios vasos de cartón
- agua de estanque
- agua de lluvia
- agua del grifo
- agua de un charco
- agua de fregar (con lejía)
- agua con bicarbonato disuelto
- zumo de limón
- papel indicador (de cúrcuma o de lombarda)

Y se hace así:
1. Echar en cada uno de los vasos de cartón una de las sustancias del ensayo.
2. Sumergir en cada vaso el extremo de una tira de papel indicador.

¿Qué ocurre entonces?

Las tiras de papel indicador toman coloraciones muy diversas.

azul rojo rosa

agua de estanque
agua de lluvia
agua del grifo
agua de un charco
agua con lejía
agua bicarbonatada
zumo de limón

¿Cómo se explica eso?

El papel tratado con zumo de lombarda vira al rosa en medio ácido, y al verde en medio básico. El papel de cúrcuma se pone amarillo con los ácidos fuertes, y rojo-pardo con las bases. El bicarbonato disuelto en agua produce reacción ácida, y lo mismo la lejía. El zumo de limón es un ácido. También el agua puede dar reacción ácida o básica si lleva sustancias disueltas o en suspensión, por eso se practican estas pruebas (entre otras) para determinar la calidad del agua de un río o lago.

37. Globo fantasma

MUY FÁCIL

Se necesita:
- 1 botella vacía
- 1 globo hinchable
- vaso medidor
- 30 ml de agua
- 1 cucharadita de bicarbonato
- 1 pajita de refresco
- $\frac{1}{2}$ limón
- 1 exprimidor

Y se hace así:
1. Inflar el globo para desarrugarlo pero soltando luego el aire.
2. Exprimir el medio limón.
3. Con el vaso medidor, medir unos 30 ml de agua y echarlos en la botella.
4. Agregar en la botella una cucharadita de bicarbonato y usar la pajita para removerlo y que se disuelva.
5. Agregar el zumo de limón y rápidamente tapar el gollete de la botella calándole el globo.

¿Qué ocurre entonces?
El globo se infla solo sin necesidad de soplar.

¿Cómo se explica eso?
El zumo de limón es un ácido, y el bicarbonato forma con el agua una solución básica. Cuando el ácido reacciona con el bicarbonato, que es una base fuerte, se desprende dióxido de carbono, y este gas hincha el globo. Esta reacción del bicarbonato sódico se aprovecha para combatir la acidez de estómago, y en repostería como sucedáneo de la levadura, porque el CO_2 desprendido esponja las masas.

38. Superlimonada

Se necesita:
- 1 limón
- 1 exprimidor
- 1 vaso medidor
- agua
- 1 vaso corriente
- 1 cucharadita de bicarbonato
- 1 cuchara o una pajita de refresco
- 1 o 2 cucharaditas de azúcar

Y se hace así:
1. Exprimir el limón y pasar el zumo al vaso medidor.
2. Agregar una cantidad igual de agua y pasar la mezcla al otro vaso.
3. Echar una cucharadita de bicarbonato y remover.

¿Qué ocurre entonces?
Se ha obtenido un refresco de burbujas que da ganas de probarlo, ¿no es cierto?

¿Cómo se explica eso?
El zumo de limón es un ácido, y el bicarbonato disuelto en agua da reacción básica. Al combinarlos se desprende un gas, el dióxido de carbono. Este gas sube en el seno del líquido y burbujea. Si ahora agregamos un poco de azúcar, obtendremos un sabor exactamente igual al de las limonadas comerciales.

39. Manzana ácida

Se necesita:
- 1 limón
- 1 exprimidor
- 1 manzana
- 2 platos
- 1 cuchillo

Y se hace así:
1. Exprimir el limón.
2. Cortar unas rodajas de manzana y repartirlas entre los dos platos.
3. Remojar los trozos de manzana de uno de los platos con zumo de limón, y dejarlo todo en reposo durante unas horas.

¿Qué ocurre entonces?

La pulpa de la manzana acidificada conserva su color natural. Los trozos de manzana del otro plato han tomado una coloración parda.

¿Cómo se explica eso?

Cuando la pulpa de la fruta en estado original entra en contacto con el aire, reacciona con el oxígeno atmosférico y esto es lo que produce el color marrón. Es el proceso llamado oxidación (véase el experimento n.º 27). En cambio, el zumo de limón impide la oxidación y por eso la pulpa de la manzana conserva su color.

40. Abrillantar monedas

Se necesita:
- 1 limón
- 1 exprimidor
- 1 tazón pequeño
- monedas viejas (céntimos de euro y otras que contengan cobre)

Y se hace así:
1. Exprimir el limón y pasar el zumo a un recipiente pequeño.
2. Dejar caer una moneda en el recipiente, y que permanezca al menos cinco minutos sumergida en el zumo de limón.

¿Qué ocurre entonces?

La moneda brilla y recobra el aspecto que tenía cuando era nueva.

¿Cómo se explica eso?

El ácido del limón ha eliminado la capa mate de óxido de cobre que recubría la moneda. El mismo resultado se habría obtenido con vinagre o con algún otro ácido diluido.

41. Cromatizado decorativo

Se necesita:

- 2 limones
- 1 pizca de sal
- 1 exprimidor
- 1 tazón pequeño
- 10 o 20 monedas de céntimos de euro u otras que contengan cobre
- 1 clavo nuevo y grande, de hierro
- papel de lija

Y se hace así:

1. Exprimir los limones, pasar el zumo al tazón y agregar una pizca de sal.
2. Echar las monedas de cobre en el tazón y dejarlas sumergidas en el zumo durante cinco minutos por lo menos.
3. Abrillantar el clavo con el papel de lija, lavarlo con agua, escurrirlo y secarlo, y echarlo en el tazón junto con las monedas, donde permanecerá durante 20 minutos por lo menos.

¿Qué ocurre entonces?

Se ha formado sobre el clavo una capa de cobre, y podremos hacerles creer a nuestros amigos que se trata de un clavo «antiguo».

¿Cómo se explica eso?

El cobre de las monedas reacciona con el ácido cítrico del limón y se forma una combinación nueva, el citrato de cobre. Esta combinación reviste el clavo de una capa delgada de cobre.

cobre

42. Huevo de goma y transparente

LARGA DURACIÓN

Se necesita:

- 1 huevo de gallina crudo
- 1 vaso con vinagre común

Y se hace así:

1. Introducir el huevo en el vaso con vinagre.
2. Dejar el huevo sumergido durante varias horas.
3. Sacar el huevo con precaución y aclararlo bajo el chorro del grifo.
4. Mirar el huevo al trasluz.

¿Qué ocurre entonces?

Algo ha cambiado. El huevo no está duro, sino blando y como gomoso. La cáscara dura se ha disuelto, y al observar el huevo al trasluz incluso distinguiremos la clara y la yema.

¿Cómo se explica eso?

La cáscara del huevo es de cal, y esta sustancia es soluble en el vinagre. Por eso llega a desaparecer por completo en el término de unas 3 a 12 horas. El huevo conserva la forma gracias al tegumento o telilla que tiene debajo de la cáscara.

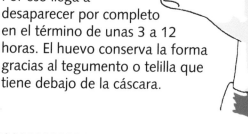

Qué más hay que saber:

La cal es soluble en los ácidos, formándose una sal cálcica y un gas, el dióxido de carbono.

43. Huevo decorado al batik

Se necesita:
- 1 huevo cocido (duro)
- 1 barra de color a la cera
- 1 vaso
- vinagre blanco

Y se hace así:
1. Dibujar con la barra de cera en la cáscara del huevo y dejar que se seque.
2. Colocar el huevo en el vaso y agregar vinagre blanco hasta cubrir el huevo por completo.
3. Transcurridas dos horas, desechar el vinagre y reponer vinagre nuevo. El huevo permanecerá sumergido durante dos horas más.
4. Lavar con agua quitando los restos de color.

¿Qué ocurre entonces?

El dibujo o las letras que hemos pintado sobre el huevo siguen visibles, y tenemos un curioso objeto decorativo.

¿Cómo se explica eso?

El ácido del vinagre se combina con el carbonato cálcico de la cáscara del huevo y la disuelve en parte. En los lugares cubiertos por el dibujo, en cambio, el ácido no ha podido actuar y la cáscara aparece luego en su estado original.

44. Requesón instantáneo

Se necesita:
- 1 vaso medidor
- $\frac{1}{4}$ l de leche entera
- unos 80 ml de vinagre
- 1 tarro lavado
- 1 cuchara

LECHE · VINAGRE

Y se hace así:

1. Medir un cuarto de litro de leche y pasarla al tarro. Lavar el vaso medidor y escurrirlo.
2. Medir unos 80 ml de vinagre y agregarlo a la leche.
3. Remover el líquido con la cuchara.

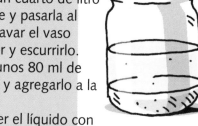

¿Qué ocurre entonces?

En el fondo del tarro se ha acumulado una sustancia espesa, que es el requesón. Ahora nos corresponde decidir si vamos a continuar fabricando nuestro requesón en casa o seguimos tomando el del supermercado.

¿Cómo se explica eso?

Al añadir el vinagre, la leche se agria y se descompone. En el fondo del recipiente se acumula el requesón, que es una mezcla de grasas, minerales y una proteína que se llama caseína. El líquido acuoso restante es el llamado suero de la leche.

45. Requesón plastilina

Con la ayuda de una persona adulta

Se necesita:
- 1 vaso medidor
- $\frac{1}{8}$ de litro de leche
- 1 cucharadita de vinagre
- 1 colador
- 1 vaso corriente
- 1 cacerola pequeña
- 1 taza

Y se hace así:

1. Medir un octavo de litro de leche, pasarla a la cacerola y calentarla hasta que se formen pequeños grumos.
2. Pasar la leche caliente por el colador a la taza, y los grumos colados al vaso.
3. Agregar a los grumos una cucharadita de vinagre y dejar todo en reposo durante una hora aproximadamente.

¿Qué ocurre entonces?

Se ha formado en el vaso una sustancia gomosa que puede amasarse.

¿Cómo se explica eso?

Al agregar el vinagre a los grumos se obtiene una masa consistente en grasas, minerales y una proteína, la caseína. Ésta se halla formada por cadenas moleculares largas y, antes de endurecer, elásticas como la goma. Al calentarlo, este material se endurece. Si una vez hechas las figurillas de esta plastilina las metemos durante un cuarto de hora en el horno (a temperatura moderada), se endurecerán como si fuesen de plástico y después de dejar que se enfríen podremos barnizarlas y pintarlas.

46. Ensayo de dureza

¡ATENCIÓN!

Con la ayuda de
una persona adulta

Se necesita:
- agua del grifo
- 2 tarros de mermelada vacíos, con tapas de rosca
- agua destilada
- detergente líquido

Y se hace así:
1. Llenar uno de los dos tarros con agua del grifo, el otro con agua destilada.
2. Agregar una gota de detergente al agua destilada y otra al agua del grifo. Enroscar fuertemente las tapas y agitar ambos líquidos enérgicamente.

¿Qué ocurre entonces?
El agua destilada forma espuma con la pequeñísima cantidad de detergente. En cambio, el agua del grifo seguramente no formará espuma y habrá que añadir más detergente.

¿Cómo se explica eso?
El agua destilada no contiene cal. El agua del grifo necesita más detergente para formar espuma porque contiene cal. Las aguas que contienen calcio se llaman «duras» y la dureza del agua se expresa en grados, que se determinan mediante una solución jabonosa de concentración especificada, hallando el volumen de la misma necesario para dar espuma con una cantidad conocida de agua.

Qué más hay que saber:

Los jabones son sales alcalinas (básicas) de los ácidos grasos superiores. Se obtienen a partir de grasas y aceites líquidos de origen animal y vegetal (sebos, aceite de hígado de pescado, aceite de soja, aceite de oliva, etc.) con lejía de sosa o de potasa. Los jabones potásicos son blandos y contienen glicerina (jabón untuoso), los de sosa son duros y contienen hasta un 60 por ciento de ácidos grasos. Al lavar las prendas con jabón y aguas duras, las sales de calcio que contiene el agua forman con el jabón combinaciones calcáreas que no lavan y además se quedan adheridas a las fibras. Por eso, los modernos polvos para lavar contienen tensioactivos que rebajan la tensión superficial del agua y así hacen posible formar espuma y lavar incluso con aguas duras. Sin embargo, los primeros tensioactivos que se utilizaron no eran biodegradables. Hoy sólo se admiten los que sean biológicamente degradables en un 80 por ciento como mínimo. También el trifosfato pentasódico de los primeros polvos de lavar ha sido reemplazado por otras sustancias más compatibles, pero de todos modos sigue en vigor la regla de usar los productos de limpieza con moderación, como nuestra contribución personal a la conservación del medio ambiente.

Se necesita:

- 1 vaso de agua del grifo
- 1 alfiler
- pinzas
- jabón líquido o biolavante

Y se hace así:

1. Depositar cuidadosamente el alfiler sobre la superficie del agua con las pinzas.
2. Con precaución, echar unas gotas de producto en el agua.

¿Qué ocurre entonces?

Por mucho cuidado que pongamos, el alfiler se hunde.

¿Cómo se explica eso?

Al disolverse en el agua, el jabón separa las moléculas de ésta, o lo que es lo mismo, reduce la tensión superficial. Es como si se rompiera una película invisible, y el alfiler cae al fondo.

48. El hilo embrujado

Se necesita:
- 1 jofaina llena de agua
- 1 pastilla de jabón humedecida previamente
- 1 hilo de lana de unos 30 cm de largo

Y se hace así:
1. Superponer un extremo del hilo sobre el otro formando un bucle (no un nudo).
2. Depositar el hilo en esta forma sobre la superficie del agua.
3. Tocar el agua en el centro del bucle con la pastilla de jabón.

¿Qué ocurre entonces?
El bucle cambia de forma y se convierte en un círculo.

¿Cómo se explica eso?
El jabón destruye la tensión superficial del agua dentro del bucle. Pero el jabón no alcanza la parte exterior de la superficie, porque el hilo forma una especie de barrera. En dicho exterior subsiste todavía la tensión superficial y ésta tira del hilo hacia el borde de la jofaina. Esta fuerza que actúa uniformemente en todos los puntos del hilo convierte el bucle en un círculo.

49. Limpieza instantánea

Se necesita:
- 1 tarro sin tapa
- 1 tarro con tapa
- hilos de lana
- 1 cucharada de detergente
- retales de tela
- unas gotas de zumo de naranja, ketchup, mostaza, mermelada, aceite

Y se hace así:
1. Llenar de agua los dos tarros.
2. Echar el detergente en el tarro que tiene tapa, y agitarlo con energía para disolver el detergente.
3. Tomar dos retales de tela y mancharlos a conciencia con zumo de naranja, ketchup, mostaza, mermelada y aceite.
4. Sumergir una de las telas en agua clara, y la otra en la solución de detergente.

¿Qué ocurre entonces?
La tela sometida a la acción del detergente se lava con más facilidad, en comparación con el agua. Por eso siempre echamos detergente en la lavadora para lavar la ropa.

¿Cómo se explica eso?

Las moléculas del jabón o detergente rebajan la tensión superficial del agua haciendo posible que se disuelvan en ésta la mayoría de las manchas.

Qué más hay que saber:

El agua por sí sola no tiene ningún poder para lavar. Su tensión superficial vuelve prácticamente imposible la penetración de las moléculas de agua en las partículas de suciedad.

Las moléculas de los productos de limpieza tienen una parte afín a las grasas y una parte afín al agua. Al disolver el jabón en el agua, las moléculas del jabón destruyen la tensión superficial del agua. De este modo, las grasas y el agua pueden mezclarse, como se comprueba con facilidad echando agua y aceite en un vaso, y añadiendo unas gotas de jabón líquido. Removemos, y comprobamos que el agua y el aceite ya no se separan como en el experimento n.º 29. De este modo, las manchas de aceite y grasa pueden separarse de la fibra.

Se necesita:
- 1 cucharada de detergente
- $\frac{1}{2}$ taza de agua
- 1 pizca de azúcar
- 1 pajita de refresco

Y se hace así:
1. Echar el detergente en la taza y remover bien con el agua.
2. Agregar una pizca de azúcar.
3. Sumergir el extremo inferior de la pajita en la solución jabonosa, sacarla y soplar.

¿Qué ocurre entonces?

Se forma una pompa de jabón.

¿Cómo se explica eso?

Al soplar, la solución jabonosa forma una película alrededor del aire y se forma la pompa. El azúcar agregado a la solución jabonosa ayuda a estabilizar la pompa, al evitar que el agua se evapore enseguida, con lo que la pompa estallaría en menos de un segundo.

Juegos de tierra, barro y agua

Se necesita:
- miel o jarabe muy espeso
- agua
- 2 tazones hondos
- 2 tapones de corcho

Y se hace así:
1. Llenar uno de los tazones con miel o jarabe espeso, y el otro con agua.
2. Sumergir un corcho en cada uno de los tazones, empujándolos hasta el fondo.

¿Qué ocurre entonces?
El corcho sumergido en el líquido espeso tardará más en emerger que el del tazón con agua.

¿Cómo se explica eso?
El agua fluye fácilmente, y decimos que tiene baja viscosidad. Cuando echamos agua en el suelo se extiende enseguida formando un charco. La miel y el jarabe, en cambio, fluyen con dificultad, son espesos, tienen viscosidad elevada. El corcho desplaza un volumen del líquido en que está sumergido. Cuando lo soltamos, sube en virtud del empuje ascendente, pero el rozamiento con las moléculas de líquido retarda su movimiento si la viscosidad es elevada, por eso tarda más en aparecer.

52. Terremotos

Qué más hay que saber:

Imaginemos el manto fundido del planeta Tierra como un jarabe denso en el que «flotan» los continentes. El peso de la corteza ejerce una presión sobre el manto y allí donde las masas de roca (cordilleras) o del inlandsis es mayor, también penetran más en el seno de la tierra a manera de «raíces», con arreglo al principio llamado del equilibrio isostático. La Tierra tiene un núcleo interior metálico, de hierro y níquel. La capa exterior de dicho núcleo se halla en fusión y la envuelve un manto de silicatos. También la superficie de éste es semilíquida y de ahí brota la mayor parte del magma expulsado al exterior por las erupciones volcánicas. La capa más exterior tiene entre 6 y 40 km de espesor. Esta costra sólida está quebrada en varias placas enormes que «sobrenadan» a manera de corteza rugosa sobre el manto de sílice-aluminio y sílice-magnesio. Nosotros no lo notamos pero estas placas se desplazan lentamente, chocan unas con otras y a veces resbalan o se encabalgan. Nuestros cinco continentes (África, América, Asia, Australia y Europa) forman parte de las llamadas placas tectónicas y cuando éstas se mueven, los continentes se desgarran abriendo fallas, o se acumulan formando cordilleras gigantescas. Aparecen nuevos mares, se declaran grandes terremotos.

Se necesita:
- bloques de madera
- 1 silla

Y se hace así:
1. En el asiento de la silla, levantar varias torres de bloques de madera.
2. Agarrar las patas de la silla y sacudirla fuertemente.

¿Qué ocurre entonces?
Nuestros edificios se hunden.

¿Cómo se explica eso?
Al sacudir las patas de la silla, el asiento que es la base de nuestras torres entra en oscilación. Las sacudidas del suelo derriban las construcciones. En el terremoto, los movimientos oscilatorios afectan a la corteza terrestre.

Qué más hay que saber:
Los terremotos son movimientos oscilatorios del subsuelo. Se producen cuando chocan las placas tectónicas y las ondas de choque se propagan a través de la tierra.

53. Tierra fértil para jardín

Se necesita:

- restos de fruta y hortalizas (sobras de la cocina)
- 1 caja de madera

Y se hace así:

1. Colocar la caja en el jardín o en el patio de atrás.
2. Ir rellenando la caja con materiales orgánicos (desperdicios de las verduras y la fruta, excepto las cáscaras de naranjas y plátanos, que llevan restos de pesticidas).

¿Qué ocurre entonces?

Los desperdicios se pudren y al cabo de muchas semanas se obtiene un humus.

¿Cómo se explica eso?

Estas sobras son desmenuzadas por la acción de los insectos y otros invertebrados, de los mohos y otros hongos, así como de los microorganismos que originan la podredumbre. Al término de este proceso tenemos el humus, que contiene muchos de los principios nutrientes que necesitan los vegetales para crecer. Es un abono excelente, que favorece la salud y lozanía de las plantas.

54. Erupción volcánica

Con la ayuda de una persona adulta

Se necesita:

- 1 bandeja grande de fondo plano
- arena
- gravilla
- vinagre
- lejía de sosa
- 1 embudo
- colorante alimentario
- 2 botellas pequeñas de plástico o vidrio

Y se hace así:

1. En una de las botellas, mezclar el vinagre con el colorante alimentario.
2. Con un embudo, llenar a medias de sosa la otra botella.
3. Colocar la botella mediada en la bandeja.
4. Apilar alrededor de esta botella, primero la gravilla y luego la arena, de forma que parezca el cono de un volcán, y dejando libre la boca de la botella.
5. Con precaución, echar un poco del vinagre teñido en la botella.

¿Qué ocurre entonces?

La botella expulsa a borbotones un líquido coloreado, como si fuese un «volcán».

¿Cómo se explica eso?

Al mezclar la lejía de sosa con el vinagre se produce una reacción que desprende dióxido de carbono. Éste expulsa el líquido rojo de la botella.

Qué más hay que saber:

Casi un 80 por ciento de la superficie terrestre consta de minerales que hallándose en estado de fusión subieron, se enfriaron y se solidificaron en forma de rocas volcánicas. Las zonas principales de vulcanismo se disponen en los bordes de las placas tectónicas, es decir en los lugares donde estas placas chocan, se encabalgan o deslizan las unas con respecto a las otras. Debajo del cono volcánico hay una cámara llena de magma (minerales fundidos) y gases incandescentes. Estas sustancias suben por la chimenea del volcán hasta el cráter, por donde salen al exterior. Durante la erupción de un volcán, la presión de los gases calientes empuja el magma líquido y lo proyecta por el cráter afuera.

55. Coleccionista de minerales

Se necesita:
- muchas piedras de distintas procedencias

Y se hace así:

1. Tomar en la mano, una a una, las piedras de la colección.
2. Tratar de rayar una piedra con otra.

¿Qué ocurre entonces?

Las piedras no tienen todas las misma dureza. Con un espécimen muy duro se rayan los demás.

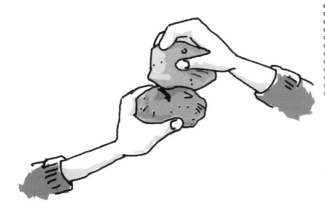

¿Cómo se explica eso?

Las piedras están constituidas por una o varias clases de minerales. La mayoría de las piedras constan de varios minerales distintos. Entre éstos, los más blandos como el talco y el yeso se rayan incluso con la uña. El mineral más duro que existe es el diamante. Ningún mineral raya el diamante, pero él raya a todos los demás.

Qué más hay que saber:

Los geólogos distinguen tres tipos principales de rocas:

1. Las rocas magmáticas, o volcánicas, son las que se producen cuando las erupciones transportan a la superficie exterior el magma, que se enfría y solidifica. Ejemplo de estos minerales es el granito, que contiene gran cantidad de cuarzo, éste constituido a su vez por los silicatos del magma. El cuarzo (óxido de silicio) es también constituyente principal de la arena (materia prima en la fabricación del vidrio).

2. Las rocas sedimentarias se forman por precipitación y consolidación de las partículas arrastradas por la erosión de la superficie terrestre. Los estromatolitos, por ejemplo, son rocas formadas por láminas de calcita procedentes de las conchas de minúsculos animales marinos, acumuladas durante miles de años.

3. Las rocas metamórficas son de minerales modificados por el calor y la presión de las placas tectónicas. El gneis, por ejemplo, es una roca producto de la transformación y fusión del granito.

56. Proyecto Tierra

Se necesita:
- 1 azada
- 2 bolsas de plástico
- tierra de dos lugares distintos (por ejemplo, bosque y sembrado)
- papel de periódico
- 1 lupa

Y se hace así:
1. Cavar en dos lugares distintos y llenar cada bolsa con un tipo de tierra diferente.

2. Vaciar las bolsas por separado sobre papel de diario y observar con la lupa la composición de las tierras.

¿Qué ocurre entonces?
En ambas muestras de tierra hallaremos partículas de distintos tamaños, muchas veces inferior al centímetro y al milímetro, que pueden desmenuzarse entre los dedos. Mirando con atención se observan raicillas de plantas y otros restos vegetales descompuestos, piedrecillas y arena, a veces también animales de los que colonizan el suelo, como las lombrices de tierra. Los huecos entre estas partículas están ocupados por el aire y el agua. Se notará también que la composición de los suelos de origen diferente no es la misma.

¿Cómo se explica eso?
La composición del suelo depende de los minerales del sustrato, de las intemperies, de los vegetales que se crían en el mismo y de su explotación por el hombre.

57. ¡Embarrados!

LARGA DURACIÓN

Qué más hay que saber:

El suelo fértil es la capa más externa de la corteza terrestre. Contiene materiales de origen mineral y orgánico. Estos últimos son combinaciones del carbono con otros elementos. Además hay agua, aire y seres vivos. El material orgánico recibe el nombre de humus. Se compone de restos de hojas secas y otras partes de las plantas, así como residuos y deyecciones de los animales y microorganismos (bacterias, hongos, etc.) que viven en el suelo. Las propiedades de cada tipo de suelo dependen de las distintas proporciones de estos componentes y de las reacciones entre ellos. La composición de los suelos puede variar, porque están expuestos al sol, a las lluvias y a los vientos, por los vegetales que crecen en ellos y por la acción de los animales y de los humanos, éstos en especial con sus cultivos. En las laderas con mucha pendiente y en las grandes alturas, donde el frío impide la presencia de vegetales, no hay suelo fértil.

Se necesita:

- 2 tarros de mermelada vacíos, lavados y con las tapas
- 2 muestras de tierra
- agua

Y se hace así:

1. Llenar a medias cada tarro con una muestra de tierra.
2. Completar con agua el llenado de uno de los tarros (casi hasta el borde).
3. Tapar enroscando fuertemente las tapas y agitar ambos tarros con fuerza.
4. Dejar ambos tarros en reposo durante varias horas.

¿Qué ocurre entonces?

En uno de los tarros no ocurre absolutamente nada. En el rellenado con agua se produce una decantación de los componentes de la tierra. En el fondo se acumulan las partículas más gruesas de arena. Sobre ésta, una capa de ingredientes más finos del barro, y flotando por encima de todo, el humus, que es la capa más ligera del suelo.

¿Cómo se explica eso?

En la mezcla de tierra y agua cada ingrediente cae más deprisa o más despacio en función de su peso. Las partículas más pesadas, como las de la arena, caen al fondo. Las más ligeras, como el humus, flotan en la superficie.

Qué más hay que saber:

La granulometría de una muestra del suelo se refiere a las proporciones de arcilla, arena movediza y arena. La tierra está formada por partículas de diferentes tamaños.
Las partículas que tienen un diámetro medio de:

más de 2 mm	se denominan guija o gravilla
0,2 a 2 mm	se denominan arena gruesa
0,02 a 0,2 mm	se denominan arena fina
0,002 a 0,02 mm	se denominan arena movediza
menos de 0,002 mm	se denominan arcilla

58. A la intemperie

Se necesita:
- 1 periódico

Y se hace así:
1. Dejar un periódico largo tiempo a la intemperie.
2. Transcurridos algunos meses, observar cómo se ha alterado el periódico.

¿Qué ocurre entonces?

El papel está agrietado, desgarrado, amarillento y frágil, y lo impreso ha quedado ilegible.

¿Cómo se explica eso?

Todos los materiales, incluso los minerales más duros, se modifican bajo la acción de las intemperies, es decir del agua y de los gases atmosféricos, que los descomponen al transcurrir el tiempo. El periódico llegará a quedar estropeado por completo.

Qué más hay que saber:

Las piedras expuestas durante largo tiempo a la acción del clima sufren una degradación mecánica y se fragmentan, se reducen a partículas o resultan modificadas químicamente, en algunos casos hasta la disolución. Una vez reducidas a partículas de menor tamaño, éstas son transportadas por los vientos y las aguas laderas abajo, donde los arroyos, los ríos, el viento y los glaciares continúan el arrastre hasta depositar esos materiales en otro lugar. Esta acción es lo que se conoce con el nombre de erosión.

59. Aire en el suelo

Se necesita:
- 1 tarro de mermelada vacío y lavado
- $\frac{1}{2}$ taza de tierra (muestra de suelo o tierra fértil para jardín)
- 1 taza de agua hervida y enfriada
- 1 lupa

Y se hace así:
1. Llenar de tierra el tarro.
2. Agregar el agua.

¿Qué ocurre entonces?

En la superficie de la tierra aparecen burbujas, que distinguiremos con ayuda de la lupa.

¿Cómo se explica eso?

La tierra seca contiene gases atmosféricos que salen a la superficie del agua dentro del tarro. Al hervir previamente el agua hemos eliminado los gases que ésta trae disueltos, luego las burbujas del tarro no pueden tener otro origen sino la tierra misma.

Qué más hay que saber:

El aire atrapado por el suelo contiene más dióxido de carbono y menos oxígeno que el aire atmosférico. Entre éste y el del suelo se producen fenómenos de difusión. La cantidad de aire contenida en el suelo depende de la presencia del agua. A mayor proporción de agua, menor la del aire y más rápida la absorción del oxígeno por la respiración de los seres vivos que colonizan el suelo y por las raíces de las plantas. La falta de oxígeno en el suelo es perjudicial para la mayoría de las especies vegetales.

60. Calado a fondo

Se necesita:

- 1 tubo de ensayo
- arena fina
- arena gruesa
- tierra de jardín
- algodón
- 1 plato sopero lleno de agua

Y se hace así:

1. Llenar un tercio del tubo de ensayo con arena fina, un tercio con arena gruesa y un tercio con tierra de jardín. Finalmente lo taparemos con un algodón para que la tierra no se caiga.
2. Colocar el tubo de ensayo boca abajo en el plato sopero lleno de agua.

¿Qué ocurre entonces?

El agua sube poco a poco en el interior del tubo de ensayo, tanto más rápidamente cuanto más fino sea el tamaño de las partículas del material.

¿Cómo se explica eso?

Debido a las fuerzas de adhesión y cohesión el agua tiende a subir por los intersticios finos llegando a vencer la fuerza de la gravedad. Así es como llega el agua subterránea hasta las raíces de las plantas. Cuanto más delgados sean los espacios entre los sólidos más sube el agua, es decir más en el interior de la arena fina que en el de la arena gruesa.

Qué más hay que saber:

El manto acuífero es nuestra reserva subterránea de agua. Se forma por filtración de las precipitaciones a través del suelo, y por penetración del agua en las grietas e intersticios entre las rocas. A veces aflora en forma de manantiales, y se puede explotar mediante la construcción o perforación de pozos, a fin de bombear el agua hasta la superficie. Las aguas son conducidas gracias a la presencia de capas impermeables del subsuelo. Son mantos freáticos cuando no se interpone ningún estrato impermeable entre el aire y los bancos permeables que encierran el agua, y cautivos cuando ésta circula entre dos capas impermeables.

61. Piedras efervescentes

Se necesita:
- pedazos de arcilla u otro mineral poroso
- 1 bandeja de fondo plano
- agua
- 1 lupa

Y se hace así:
1. Llenar de agua la bandeja y disponer en ella los pedazos de arcilla.
2. Observar con la lupa.

¿Qué ocurre entonces?
Debajo del agua, la superficie de los trozos de arcilla se recubre de burbujas.

¿Cómo se explica eso?
Los trozos de arcilla contienen gas oxígeno. Sumergidos en el agua, el gas escapa en forma de burbujas y así resulta visible. También se encuentra oxígeno en los intersticios entre las partículas de los minerales porosos.

62. Freno de agua

Se necesita:
- 3 muestras distintas de suelo (por ejemplo arena, barro, tierra de jardín)
- 3 macetas pequeñas (de unos 10 cm de diámetro)
- 3 tarros de mermelada vacíos y lavados
- 1 vaso medidor

Y se hace así:
1. Llenar cada maceta con una muestra seca de suelo.
2. Colocar cada maceta sobre uno de los tarros.
3. Con ayuda del vaso medidor, medir tres volúmenes de 100 ml de agua, que echaremos en cada una de las macetas.

¿Qué ocurre entonces?
El agua no queda completamente retenida por los materiales con que hemos llenado las macetas sino que sale por el agujero que éstas tienen en el fondo y se acumula en los tarros. Se observa que los distintos tipos de tierra tienen diferente capacidad de retención del agua.

¿Cómo se explica eso?
Los suelos formados por arena gruesa principalmente retienen poca agua. En cambio los de arenas movedizas sueltan el agua muy poco a poco, porque los espacios entre sus partículas son muy reducidos y el agua tarda más en caer.

63. ¿Agua en el desierto?

AL AIRE LIBRE

Se necesita:
- 1 tarro de mermelada vacío
- película transparente de plástico
- varias piedras grandes
- 1 pala

Y se hace así:
1. En un lugar soleado cavar en el suelo de tierra o de arena un agujero bastante profundo.
2. Colocar el tarro en dicho agujero.
3. Tensar la película de plástico sobre el agujero y lastrar los bordes con varias piedras grandes. Además cubrir los bordes con tierra bien apelmazada para impermeabilizarlos.
4. En el centro de la película de plástico disponer una piedra pequeña, de manera que se forme una especie de cono invertido.

¿Qué ocurre entonces?
Al dar el sol sobre la película de plástico, transcurridas algunas horas se formarán gotitas de agua en la superficie interior de la misma, que irán goteando en el tarro.

¿Cómo se explica eso?
Hasta la tierra más seca puede contener agua. Los rayos del sol calientan la tierra a través de la película de plástico. La humedad del suelo se evapora y precipita en la superficie interior de la película.

64. Catarata

Se necesita:
- 1 botella de plástico vacía
- 1 clavo de punta fina
- agua
- cinta adhesiva transparente

Y se hace así:
1. Con el clavo, agujerear la pared de la botella a diferentes alturas (véase la figura).
2. Tapar cuidadosamente los agujeros con cinta adhesiva.
3. Meter la botella en el fregadero y llenarla de agua.
4. Quitar las tiras de cinta adhesiva.

¿Qué ocurre entonces?
El agua brota por los agujeros, pero con más o menos fuerza según la altura. El surtidor es más largo en los agujeros inferiores y más corto en los superiores.

¿Cómo se explica eso?
En la parte inferior la presión del agua es más grande, por eso el chorro va más lejos.

65. Fuente mágica

PRÁCTICA Y PACIENCIA

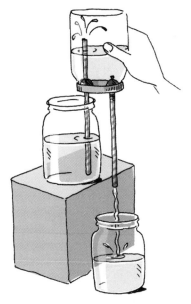

Se necesita:
- 2 tarros de mermelada sin la tapa
- 1 tarro de mermelada con tapa
- 2 pajitas de refresco
- agua teñida con color de acuarela
- masilla o chicle mascado
- 1 martillo
- 1 clavo
- 1 caja

Y se hace así:
1. Con el martillo y el clavo, practicar un agujero en la tapa cerca del borde, y otro en el lugar diametralmente opuesto.
2. Pasar las pajitas a través de los agujeros, de manera que queden como en la figura, y fijar con masilla o goma de mascar.
3. Llenar dos tarros de agua coloreada hasta la mitad. Cubrir uno de ellos con la tapa previamente preparada, de modo que una de las pajitas sobresalga del agua y el extremo de la otra quede sumergido.
4. Colocar el tarro abierto y con agua sobre la caja (que sea estable) y el otro tarro en el suelo al lado de la caja.
5. Invertir el tarro tapado e instalarlo como se ve en la figura.

¿Qué ocurre entonces?
En el tarro tapado aparece un surtidor.

¿Cómo se explica eso?
Al invertir el tarro cerrado, el aire y el agua pueden escapar a través de las dos pajitas. Por encima de la superficie del agua se forma así un vacío (un espacio sin aire), lo que obliga a subir el agua del tarro colocado sobre la caja, y sale en forma de surtidor por el extremo superior de la pajita.

66. Barca de aluminio

Se necesita:
- 1 lavabo lleno de agua
- lámina de aluminio

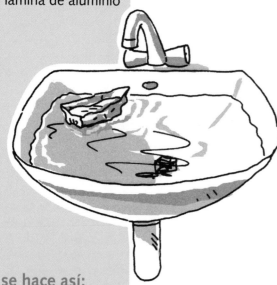

Y se hace así:
1. Formar una barca de lámina de aluminio y ponerla a flote en el lavabo.
2. Arrugar la barca convirtiéndola en una pelota bien apretada y ponerla de nuevo a flote.

¿Qué ocurre entonces?
La bola de aluminio no flota.

¿Cómo se explica eso?
La barca de aluminio y la bola que hemos hecho con la misma tienen el mismo peso. La barca desaloja un volumen de agua cuyo peso es mayor que el de la misma barca, por eso flota, ya que «todo objeto sumergido en un fluido experimenta un empuje ascendente igual al peso de fluido que desaloja», según el principio de Arquímedes. La bola de aluminio desaloja muy poco volumen, pesa más y se hunde. Los objetos más ligeros que el volumen de agua que desaloja flotan como la barca, los más pesados se hunden como la bola de aluminio.

67. isla de salvación

Se necesita:
- 1 plato de juguete, de plástico
- 1 lavabo lleno de agua

Y se hace así:
1. Colocar horizontalmente el plato en el agua (flota).
2. Sacar el plato y colocarlo de nuevo en el agua, esta vez verticalmente.

¿Qué ocurre entonces?
El plato se hunde.

¿Cómo se explica eso?
El empuje ascendente que recibe un objeto sumergido en un líquido es tanto mayor, cuanto más volumen de agua desaloje. Al colocar el plato en posición horizontal desalojamos una gran cantidad de agua. El empuje es suficiente para que el plato flote, aunque esté constituido de un plástico más denso que el agua. Al introducirlo verticalmente en el agua, desplaza muy poco líquido, y el empuje no es suficiente para conseguir que flote.

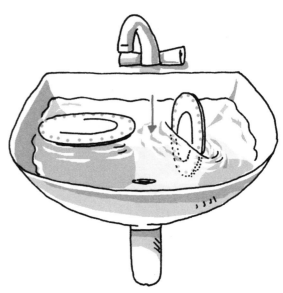

68. Aceite «on the rocks»

Se necesita:
- 2 cubitos de hielo
- 1 vaso lleno de agua fría
- 1 vaso lleno de aceite

Y se hace así:
Echamos un cubito en el vaso con agua, y el otro en el vaso que contiene aceite.

¿Qué ocurre entonces?
El cubito de hielo flota en el agua pero se hunde en el aceite.

¿Cómo se explica eso?
La densidad del hielo es menor que la del agua (ya que ésta aumenta de volumen al helarse). Pero es mayor que la del aceite, por eso el cubito se hunde en ese medio.

69. Bolas hundidas

Se necesita:
- masilla, plastilina
- 1 bola de madera
- 1 canica de vidrio del mismo tamaño que la bola de madera
- 1 lavabo lleno de agua

Y se hace así:
1. Formar una barquita de masilla y colocarla en el agua (flota).
2. Sacar la masilla y formar con ella una bola.
3. Colocar en el agua la bola de madera, la de masilla y la de vidrio.

¿Qué ocurre entonces?
La bola de masilla y la de vidrio se hunden. La bola de madera flota.

¿Cómo se explica eso?
La bola de vidrio es más densa que la de madera y que el agua. Se hunde porque no recibe un impulso ascensional suficiente para la flotación. También la bola de masilla se hunde porque es más densa que la de madera y que el agua. Cuando tenía forma de barca, la masilla no se hundió porque la masilla delimitaba un hueco ocupado sólo por el aire, mucho menos denso que el agua, lo mismo que en el experimento de la barca hecha de lámina de aluminio.

70. Barca sobrecargada

Se necesita:
- masilla, plastilina
- guijarros y pequeños juguetes (canicas, figuras de plástico, etc.)
- 1 lavabo con agua

Y se hace así:
1. Formar con la plastilina un arca de Noé cuadrada, que sea de paredes bastante altas (véase la figura).
2. Colocarla en el agua y observar hasta qué nivel se hunde. Lo marcamos con las puntas de un tenedor.
3. Cargar la embarcación, poco a poco, colocando en ella piedrecitas o pequeños juguetes. Observar dónde quedan las marcas de la línea de flotación anterior.

¿Qué ocurre entonces?
Cuanto más cargada está la «embarcación», más se hunde. Si se carga en exceso, la barca irá al fondo.

¿Cómo se explica eso?
Las paredes de la embarcación delimitan un volumen de aire. Al ir cargándola de objetos, la densidad (peso total dividido por volumen) aumenta, y cuando el peso de la embarcación llega a ser mayor que el del volumen de agua que desaloja, se produce el hundimiento.

71. Doble capa

Se necesita:
- 5 cucharadas de aceite
- 5 cucharadas de agua
- 5 cucharadas de miel o jarabe
- 1 tarro limpio con tapa de rosca

Y se hace así:
1. Echar el aceite, el agua y el jarabe en el tarro, taparlo y agitar con fuerza.
2. Dejar el tarro en reposo durante unos minutos.

¿Qué ocurre entonces?
El aceite flota, el jarabe o la miel se hunden, y entre ambos queda una capa de agua.

¿Cómo se explica eso?
La miel se hunde porque es más densa que el agua. Al decir que es más densa expresamos que alberga más moléculas que un volumen igual de agua. El aceite flota porque es más ligero, es decir que su densidad es inferior a la del agua.

aceite →

agua →

miel →

72. Huevo mágico

MUY FÁCIL

Se necesita:
- 1 huevo crudo
- 1 vaso lleno de agua del grifo
- sal de cocina

Y se hace así:
1. Introducir el huevo en el vaso de agua. Se hunde.
2. Echar una buena cantidad de sal en el agua y remover con una cuchara.

¿Qué ocurre entonces?
Poco a poco el huevo empieza a flotar y sube a la superficie.

¿Cómo se explica eso?
La densidad del huevo es más grande que la del agua del grifo y por eso se hunde. El agua salada es más densa que la del grifo y que el huevo. Éste flotará en cuanto la solución salina haya alcanzado la densidad necesaria. En algunos balnearios tienen baños de agua salina más densa incluso que la del mar. En estas aguas los bañistas experimentan una flotación desconocida.

Electri- cidad y mag- netismo

73. Arroz hinchado que salta

Se necesita:
- arroz hinchado o palomitas de maíz
- 1 cuchara de plástico
- 1 paño de lana
- 1 cuenco

Y se hace así:
1. Frotar con el paño de lana la cuchara de plástico.
2. Acercar la cuchara al recipiente que contiene el arroz hinchado.

¿Qué ocurre entonces?
Algunos granos de arroz hinchado saltan y quedan adheridos a la cuchara. Enseguida los granos empiezan a saltar en todas direcciones.

¿Cómo se explica eso?
La cuchara de plástico ha adquirido una carga eléctrica y ésta atrae los granos de arroz. La carga se propaga a los granos. Éstos quedan a su vez electrizados, pero como las cargas son del mismo signo se repelen y por eso los granos saltan alejándose los unos de los otros.

Qué más hay que saber:
Un objeto adquiere carga eléctrica negativa cuando sus átomos captan electrones, y carga positiva cuando sus átomos ceden electrones. Las cargas de signo contrario se atraen, y las del mismo signo se repelen. Los objetos sin carga son eléctricamente neutros.

74. Peine mágico

Se necesita:
- 1 peine de plástico
- 1 suéter o bufanda de lana
- tijeras
- papel

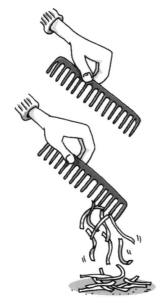

Y se hace así:
1. Recortar el papel a tiras delgadas.
2. Pasar varias veces el peine sobre la bufanda u otra prenda de lana, y acercarlo inmediatamente a las tiras de papel.

¿Qué ocurre entonces?
Parece que el peine tiene atracción, porque las tiras de papel se desprenden de la mesa y van a pegarse al peine, donde permanecen un rato adheridas.

¿Cómo se explica eso?
Al frotar el peine sobre la prenda de lana, aquél ha adquirido una carga eléctrica, que es la que atrae los papelillos. Este efecto electrostático desaparece una vez que los electrones han abandonado el peine. Cuando acercamos un objeto cargado eléctricamente a otro, las cargas de sus moléculas quedan sometidas a la atracción y/o la repulsión, es decir que se desplazan. El objeto con carga negativa rechaza los electrones del papel. Entonces queda más próximo a las cargas positivas y por eso atrae las tiras de papel que pesan poco.

Qué más hay que saber:
La descarga de electricidad estática puede notarse a veces en forma de cosquilleo en la piel. Se produce cuando las cargas (electrones) en vez de fluir se acumulan en un lugar determinado. En el radio de acción de las fuerzas electrostáticas se forma un campo eléctrico, cuyas líneas de fuerza son parecidas a las de los campos de los imanes.

75. Un gran atractivo

Se necesita:
- 1 imán de herradura
- 1 cuchara de acero
- 1 cuchara de plástico
- pinzas
- 1 trozo de cristal
- 1 caja de cerillas
- 1 globo hinchable

Y se hace así:
Colocar todos los objetos sobre la mesa y acercar el imán con los polos hacia abajo, pasándolo sobre los distintos objetos.

¿Qué ocurre entonces?
El imán sólo atrae la cuchara de acero y las pinzas. Todos los demás objetos permanecen inmóviles sobre la mesa.

¿Cómo se explica eso?
El imán tiene la propiedad de atraer los objetos hechos de materiales «ferromagnéticos», que son los de hierro, acero, níquel, cobalto y cromo.

Qué más hay que saber:
Los imanes son objetos hechos de ciertos materiales (hierro, níquel, cobalto) que adquieren propiedades magnéticas, es decir que se atraen o se repelen mutuamente. Todo imán tiene dos polos, que se denominan norte y sur. El polo sur de un imán atrae a un polo norte, pero los polos sur de dos imanes se repelen. El espacio en que se aprecia la acción del imán se llama campo magnético. En cada punto de su campo magnético el imán ejerce una fuerza que tiene determinado sentido e intensidad. La orientación viene indicada por las líneas de campo que van de un polo al otro del imán.

La brújula contiene una aguja imantada y montada de manera que puede girar con facilidad. Como la Tierra también tiene un campo magnético, uno de los extremos de la aguja apunta al norte magnético terrestre, y el otro al sur. Por eso la aguja señala siempre la orientación norte-sur. Convencionalmente llamamos polo norte del imán al que señala el norte geográfico.

76. Cómo separar la sal de la pimienta

Se necesita:
- 1 cuchara de plástico
- sal
- pimienta negra molida (muy fina)
- suéter o bufanda de lana

Y se hace así:
1. Echar un poco de sal y un poco de pimienta molida sobre la mesa y mezclar ambas sustancias.
2. Frotar enérgicamente la cuchara de plástico sobre la prenda de lana y acercarla a la mezcla de sal y pimienta, por arriba y reduciendo la distancia poco a poco.

¿Qué ocurre entonces?
Las partículas negras de pimienta saltan y se adhieren a la cuchara.

¿Cómo se explica eso?
Al frotar la cuchara de plástico la hemos cargado eléctricamente. Las partículas de pimienta son atraídas por la electricidad estática y como pesan menos que los granos de sal, se adhieren a la cuchara mucho antes, cuando todavía la distancia es relativamente grande.

77. Descenso perturbado

Se necesita:
- 3 libros grandes y pesados
- 1 imán de barra
- 4 monedas diferentes
- varios discos delgados de hierro (por ejemplo arandelas)

Y se hace así:
1. Apilar dos de los libros y apoyar el tercero de manera que se obtenga un tobogán o plano inclinado.
2. Sujetar el imán por un extremo en coincidencia con el borde superior del plano inclinado y dejar que resbalen las distintas piezas.

¿Qué ocurre entonces?
Las arandelas quedan retenidas por el imán, las monedas no.

¿Cómo se explica eso?
Las monedas no son de hierro sino de otros metales, como el cobre, que no resultan atraídos por los imanes. Por eso muchas máquinas expendedoras automáticas que funcionan con monedas tienen imanes que «cazan» las piezas falsas de hierro.

78. Recogedor de agujas

Se necesita:
- 1 imán de herradura
- 1 imán de barra
- un buen número de alfileres (de acero, no de latón) o agujas de coser

Y se hace así:
1. Repartir los alfileres en dos montones.
2. Acercar a uno de los montones el imán de barra, y al otro el imán de herradura.
3. Contar cuántos alfileres ha captado cada uno de los imanes.

¿Qué ocurre entonces?
El imán de herradura atrae los alfileres desde una distancia más grande y atrapa más.

¿Cómo se explica eso?
La fuerza del imán no sólo depende de su tamaño sino también de su forma. Los imanes en herradura son más potentes ya que concentran las líneas de fuerza. Entre dos imanes de la misma forma, el más grande es más potente.

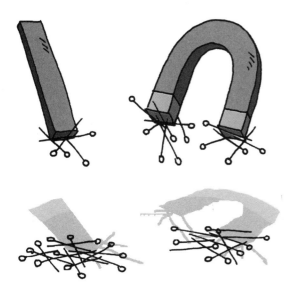

79. imán subacuático

Se necesita:
- 1 imán
- 1 clip de oficina o un alfiler (de acero)
- 1 vaso lleno de agua

Y se hace así:
1. Echar el clip o el alfiler en el vaso lleno de agua.
2. Apoyar el imán en la pared exterior del recipiente, cerca de donde haya quedado el objeto metálico.
3. Desplazar el imán por la pared del recipiente hacia arriba.

¿Qué ocurre entonces?
Los objetos de metal (clip, alfiler) atraídos por el imán siguen el movimiento de éste y hasta podemos sacarlos del agua sin tocarlos.

¿Cómo se explica eso?
La fuerza magnética actúa incluso a través del cristal y del agua.

80. Fuerzas ocultas

Se necesita:
- 1 imán
- 1 una llave de hierro, una cucharilla de acero inoxidable
- 1 guante grueso de lana
- 1 pañuelo de seda
- papel de periódico

Y se hace así:
1. Para empezar, envolvemos el imán en el guante de lana gruesa y lo acercamos al objeto metálico.
2. Repetir el experimento con el imán envuelto en el pañuelo de seda, y luego en el papel de periódico.

¿Qué ocurre entonces?
Si la envoltura del imán no es demasiado gruesa (seda, papel de diario) todavía atraerá el objeto metálico. En caso contrario, la fuerza de atracción disminuye.

¿Cómo se explica eso?
El magnetismo no puede atravesar una capa de material muy espesa.

81. ingravidez

Se necesita:
- 2 imanes de barra
- 1 trozo de madera
- cinta adhesiva fuerte

Y se hace así:
1. Sobre uno de los imanes colocamos un trozo de madera, y sobre ésta el segundo imán, teniendo en cuenta que los polos de igual nombre deben apuntar en el mismo sentido, es decir norte con norte y sur con sur.
2. Atar los extremos del paquete con varias vueltas de cinta adhesiva.
3. Retirar la madera y presionar tratando de unir los dos imanes.

¿Qué ocurre entonces?
Se nota una especie de presión que trata de impedírnoslo.

¿Cómo se explica eso?
Los polos del mismo nombre se repelen. Al haber superpuesto norte con norte y sur con sur, los polos tienden a separarse de manera que el imán superior queda en suspensión sobre el inferior.

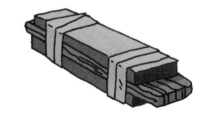

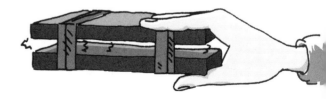

82. La aguja magnética

Se necesita:
- varias agujas
- 1 imán de barra

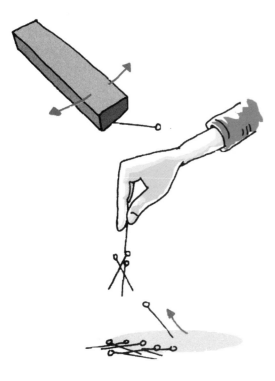

Y se hace así:
1. Frotar varias veces una de las agujas con un polo del imán.
2. Acercar la aguja magnetizada a las demás.

¿Qué ocurre entonces?
Ahora la aguja imantada atrae a las demás.

¿Cómo se explica eso?
Al frotar la aguja con el imán se le transmiten las propiedades magnéticas, es decir que ella también se ha convertido en un imán.

83. Medio imán

Se necesita:
- 1 aguja grande de coser
- 1 imán de barra
- alicates de corte
- alfileres

Y se hace así:
1. Imantar la aguja grande frotándola con el imán.
2. Con los alicates, partir la aguja en dos.
3. Acercar un polo del imán a la punta de la aguja y al trozo cortado (véase la figura).

¿Qué ocurre entonces?
Las dos mitades de la aguja se comportan como imanes, con sus respectivos polos norte y sur. El polo del imán atrae a uno de éstos y repele al otro.

¿Cómo se explica eso?
Todo imán está constituido por un gran número de imanes elementales muy pequeños, todos ellos provistos de polo norte y polo sur. Al dividir el imán en trozos éstos conservan la polaridad.

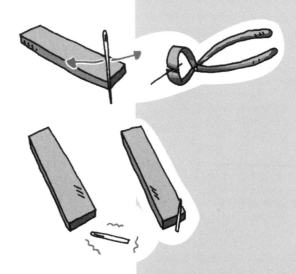

84. Desmagnetización

Se necesita:
- varias agujas
- 1 imán de barra

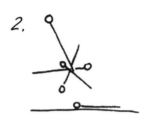

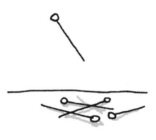

Y se hace así:
1. Frotar varias veces con el polo del imán una aguja, y comprobar si ésta ha adquirido propiedades magnéticas.
2. Imantar la aguja otra vez, y seguidamente, dejarla caer varias veces sobre una superficie dura.
3. Acercar esta aguja a las demás.

¿Qué ocurre entonces?
No se aprecia ninguna fuerza magnética. La aguja se ha desimantado con los choques.

¿Cómo se explica eso?
Al frotar el metal con el imán, las partículas cristalinas de aquél se orientan. Así es como se convierte el objeto metálico en un imán. Pero los impactos destruyen la orientación de los imanes elementales y el objeto se desmagnetiza.

85. Reacción en cadena

Se necesita:
- 2 clavos de hierro
- 1 imán de barra

Y se hace así:
Acercamos el imán de barra a uno de los clavos, y luego acercamos éste al siguiente.

¿Qué ocurre entonces?
El primer clavo atrae al segundo como si fuese un imán.

¿Cómo se explica eso?
El primer clavo se imanta al contacto con el imán de barra y por eso actúa sobre el otro.

86. Eléctrico y magnético

Se necesita:

- 1 pila de petaca (4,5 voltios)
- 1 taco de madera
- 2 chinchetas de acero
- 1 clip de oficina de acero
- hilo de cobre barnizado
- tijeras
- 1 clavo de hierro
- alfileres en una caja de fondo plano

Y se hace así:

1. Clavar las chinchetas a distancia de unos 2 cm en el taco de madera, abrir el clip y pasar uno de los extremos por debajo de una de las dos chinchetas (véase la figura).

2. Cortar un trozo de hilo de cobre, y frotar los extremos con el filo de las tijeras para pelar de cada extremo unos 2 cm del barniz que lleva. Conectar un extremo enrollándolo en un polo de la batería, y el otro en la chincheta.

3. Enrollar un trozo largo de hilo de cobre alrededor del clavo, y fijar la bobina así obtenido con cinta adhesiva. Conectar un extremo desbarnizado del hilo con el otro polo de la batería, y el otro extremo con la otra chincheta. Las chinchetas y el clip funcionarán como «interruptor».

4. Cerrar el circuito poniendo en contacto el clip con la chincheta que va conectada a la bobina.

5. Acercar la punta del clavo a los alfileres.

¿Qué ocurre entonces?

El clavo atrae los alfileres porque se ha magnetizado.

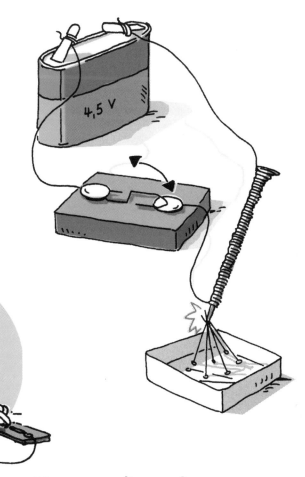

¿Cómo se explica eso?

La corriente eléctrica al pasar por la bobina produce un campo magnético, cuya fuerza guarda relación con el número de espiras de cobre que envuelven el clavo.

Se necesita:

- 1 pila eléctrica
- 1 bombilla de linterna (3,5 voltios, con portalámparas)
- 1 trozo de cable eléctrico
- alicates

Y se hace así:

1. Con los alicates cortamos 2 trozos de cable, de unos 20 cm de largo cada uno, y pelamos los extremos quitando unos 2 cm de la funda aislante.
2. Conectar los trozos de cable al portalámparas y a la batería, como indica la ilustración.

¿Qué ocurre entonces?

Se enciende la bombilla.

¿Cómo se explica eso?

Se ha cerrado el circuito. La corriente pasa de uno de los bornes de la pila, por el cable, a la bombilla, y de ésta al otro borne de la pila por el otro trozo de cable. Si desconectamos uno de los hilos, se interrumpe el circuito, la corriente no puede pasar y la bombilla se apaga.

Se necesita:

Se necesita:
- 1 taco pequeño de madera
- 2 chinchetas metálicas
- 1 clip de oficina metálico
- 3 trozos de cable eléctrico aislado, con los extremos pelados
- 1 pila de petaca
- 1 bombilla de linterna (3,5 voltios), con portalámparas
- alicates

Y se hace así:
1. Clavar las chinchetas en el taco de madera a unos 4 cm de distancia. Antes de meterlas a fondo, conectarles los extremos de sendos trozos de cable.
2. Abrir el clip de oficina e introducir un extremo del mismo debajo de una de las chinchetas.
3. Conectar los extremos libres, el uno a un borne de la pila y el otro al portalámparas. El tercer trozo de hilo eléctrico servirá para unir el otro borne de la pila con el borne libre del portalámparas (véase la figura).
4. Poner el extremo libre del clip en contacto con la otra chincheta.

Qué más hay que saber:
La electricidad es el flujo de cargas eléctricas en el seno de un material conductor (como el cable eléctrico). Las cargas sólo pueden fluir cuando una fuerza electromotriz introduce electrones en el conductor. En los materiales conductores, los electrones pueden pasar de átomo en átomo. La corriente eléctrica fluye siempre dentro de un circuito, es decir que pasa de la fuente de energía (generador eléctrico) al material conductor en cuyo seno se propaga, recorriendo los distintos componentes del circuito, como lámparas o interruptores, para regresar a la fuente, mientras no se interrumpa el circuito.

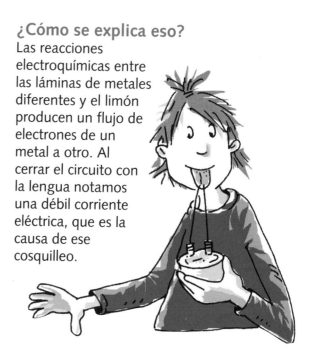

89. Limón eléctrico

¿Qué ocurre entonces?
La bombilla se enciende.

¿Cómo se explica eso?
El clip de oficina es nuestro interruptor. Sus componentes están hechos de metal, que es un material conductor. Al tocar simultáneamente las dos chinchetas cerramos el circuito. Al separar el clip de una de las chinchetas, el circuito se abre, la corriente deja de pasar y la bombilla se apaga.

Se necesita:
- 1 lámina de metal
- 1 lámina de cinc
- $\frac{1}{2}$ limón
- 2 hilos de cobre
- cinta adhesiva

Y se hace así:
1. Clavar en el medio limón las dos láminas de metal, pero sin que se toquen la una a la otra.
2. Conectar cada lámina metálica con sendos hilos de cobre, que aseguraremos con cinta adhesiva.
3. Llevar los extremos libres de los dos hilos de cobre al contacto con la lengua.

¿Qué ocurre entonces?
Notaremos un cosquilleo.

¿Cómo se explica eso?
Las reacciones electroquímicas entre las láminas de metales diferentes y el limón producen un flujo de electrones de un metal a otro. Al cerrar el circuito con la lengua notamos una débil corriente eléctrica, que es la causa de ese cosquilleo.

90. Batería de limones

MUY FÁCIL

Se necesita:
- 5 trozos de cable eléctrico aislado, con los extremos pelados
- 4 clips de oficina metálicos
- 4 limones
- 1 bombilla de linterna (1,5 voltios), con portalámparas

Y se hace así:
1. Clavar los clips en los limones, conectarles sendos trozos de cable y clavar los extremos libres de los cables directamente en el limón siguiente (véase la figura).
2. Los últimos extremos libres de hilo se conectarán a los bornes del portalámparas.

¿Qué ocurre entonces?
La bombilla se enciende.

¿Cómo se explica eso?
Las reacciones químicas que se producen en el medio ácido del limón entre el hilo de cobre y el clip de oficina producen la migración de electrones de un metal a otro. Al cerrar el circuito la corriente eléctrica fluye y enciende la bombilla.

91. Pila de vinagre

Se necesita:
- 1 cuenco de vidrio
- 1 lámina de cobre
- 1 lámina de cinc
- 2 clips de oficina metálicos
- 2 cables eléctricos, con los extremos pelados
- vinagre de vino

Y se hace así:
1. Echar una cantidad de vinagre en el recipiente.
2. Fijar el extremo de un hilo de cobre a un clip, y éste a la lámina de cobre.
3. Fijar el extremo del otro hilo al otro clip, y éste a la lámina de cinc.
4. Conectar los extremos libres de los hilos a los bornes del portalámparas.
5. Introducir las dos láminas de metal en el vinagre del recipiente.

¿Qué ocurre entonces?

Se enciende la bombilla.

¿Cómo se explica eso?

Al sumergir las dos láminas metálicas en el vinagre aparece una tensión eléctrica entre ambas. Si entonces cerramos el circuito conectando los hilos a las láminas e intercalando una bombilla, las cargas eléctricas circulan, se establece una corriente y se ilumina la bombilla.

Qué más hay que saber:

Se llama tensión a la fuerza electrostática producida por el flujo de electrones, y su valor se indica en voltios (V). La tensión eléctrica es la fuerza electromotriz de una fuente generadora que pone en movimiento los electrones. La diferencia de fuerza electromotriz, es decir de la tensión medida entre dos puntos, se llama también diferencia de potencial. Los electrones se desplazan siempre del punto de potencial más alto al de potencial más bajo. El movimiento total de las cargas eléctricas es corriente eléctrica, cuya intensidad se expresa en amperios (A). La intensidad es proporcional a la tensión eléctrica pero depende también de la sección, la longitud, la temperatura y la constitución del material conductor. Éste ofrece una resistencia al paso de la corriente, y dicha resistencia se especifica en ohmios (W).

92. Corriente caliente

Se necesita:
- 3 pilas de petaca (4,5 V c/u)
- 1 tablilla de madera
- 2 chinchetas metálicas
- alicates

Y se hace así:
1. Colocar las dos chinchetas en la tabla a una distancia de unos 4 cm.
2. Preparar hilos eléctricos, pelando extremos, en cantidad suficiente para conectar las tres pilas y las chinchetas como se muestra en la ilustración (las pilas se conectan de positivo a negativo).
3. Colocar entre las dos chinchetas una tira delgada de lámina de aluminio y clavar las chinchetas.

¿Qué ocurre entonces?
La tira de aluminio se calienta.

¿Cómo se explica eso?
La tira de aluminio ofrece una resistencia al paso de la corriente, y convierte parte de la energía eléctrica en calor (cuanto más delgada sea la tira de aluminio, mayor será la resistencia y más se calienta). Siempre que fluye la corriente eléctrica a través de un conductor se convierte en calor parte de la energía. Una bombilla, cuando lleva un rato encendida, no se puede tocar con los dedos porque nos produciría una quemadura.

93. Alambre incandescente

94. Luces paralelas

Se necesita:
- 1 trozo de alambre delgado de hierro
- 1 pinza de tender la ropa
- alicates
- 1 vela

Se necesita:
- 1 pila
- 2 bombillas de linterna (3,5 voltios), con portalámparas
- 4 trozos de cable eléctrico aislado
- alicates

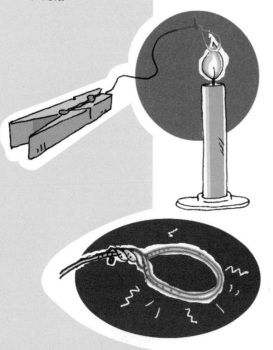

Y se hace así:
Después de pelar los extremos de los trozos de cable, conectar las dos bombillas con la pila como indica la ilustración.

Y se hace así:
1. Con los alicates, cortar un trozo de alambre de unos 15 cm de largo y doblarlo haciendo un bucle en un extremo.
2. Encender la vela.
3. Tomar el otro extremo del alambre con la pinza de la ropa y acercar el bucle a la llama.

¿Qué ocurre entonces?
El alambre se pone incandescente, al rojo vivo, y emite luz y calor. Algo muy parecido sucede con el filamento de una bombilla eléctrica.

¿Qué ocurre entonces?
Las dos bombillas lucen con la misma intensidad que una sola.

¿Cómo se explica eso?
Al conectar las dos bombillas en paralelo, cada una tiene su circuito propio, y recibe su corriente directamente de la pila. Si retiramos una bombilla vemos que la otra sigue encendida porque su circuito no se ha interrumpido.

Qué más hay que saber:
El circuito en paralelo es un circuito eléctrico que se divide en varias ramas. La corriente eléctrica se reparte por todas ellas, es decir que cada rama del circuito recibe toda la tensión.

Se necesita:
- 1 pila
- 2 bombillas de 3,5 voltios, con portalámparas
- 3 trozos de cable eléctrico aislado
- alicates

Y se hace así:
Después de pelar los extremos de los trozos de cable, conectar las dos bombillas con la pila como indica la ilustración.

¿Qué ocurre entonces?
Las dos bombillas se encienden, pero la luz que dan es más débil que cuando se conecta una sola bombilla.

¿Cómo se explica eso?
Cuando se conectan las bombillas en serie, viene a ser como si dividiéramos la energía eléctrica. La corriente pasa primero a través de una bombilla y luego a través de la otra. Si aflojamos una de las bombillas la otra no se enciende porque hemos abierto el circuito.

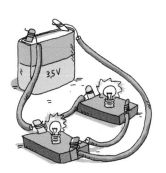

96. ¿Conductor o aislante?

PRÁCTICA Y PACIENCIA

Se necesita:

- 1 pila
- 1 bombilla de linterna (3,5 voltios), con portalámparas
- 1 tablilla de madera
- 3 trozos de cable eléctrico aislado
- alicates
- 1 destornillador
- 2 escuadras metálicas pequeñas con los tornillos correspondientes
- 1 palillo
- 1 clavo
- 1 trozo de lámina de aluminio
- 1 goma elástica

Y se hace así:

1. Atornillar las dos escuadras en un lado de la tabla, como se ve en la ilustración.
2. Acercar el portalámparas al otro lado de la tabla y conectar la pila, la bombilla y las dos escuadras como se muestra en la ilustración.
3. Hacer puente entre las dos escuadras, primero con el palillo, luego con el clavo y con la tira de lámina de aluminio, y finalmente con la goma.

¿Qué ocurre entonces?

La bombilla sólo se enciende cuando las dos escuadras están conectadas por un objeto metálico (clavo, lámina de aluminio).

¿Cómo se explica eso?

El circuito sólo se cierra cuando el objeto que conecta las escuadras de metal sea de un material buen conductor de la electricidad. Los metales son buenos conductores. La goma, el plástico, la madera, el vidrio y el cuero, por el contrario, son aislantes, es decir que detienen las cargas eléctricas y no permiten su circulación.

97. Electricidad y solución salina

¡ATENCIÓN!

Con la ayuda de una persona adulta

Se necesita:

- 1 recipiente de vidrio
- 2 pinzas de metal
- 1 bombilla de linterna (3,5 voltios) con portalámparas
- 3 trozos de cable eléctrico aislado
- 1 pila (4,5 voltios)
- alicates
- agua destilada
- sal
- tijeras

Y se hace así:

1. Llenar de agua destilada el recipiente
2. Conectar con los trozos de cable la pila, la bombilla y las pinzas, tal como se ve en la ilustración.
3. Fijar las pinzas al borde del recipiente dejándolas en contacto con el agua.
4. Agregar algo de sal.

¿Qué ocurre entonces?

La bombilla se enciende.

¿Cómo se explica eso?

El agua destilada no conduce la corriente eléctrica, porque no contiene sales disueltas. En cambio, cuando añadimos la sal, el agua se vuelve conductora. Al disolverse la sal se disocia en partículas eléctricamente cargadas que van hacia las pinzas conectadas con la pila, y de esta manera se cierra el circuito.

¡Atención!
No tocar con las manos mojadas ningún aparato eléctrico, ni enchufe, ni interruptor. El agua del grifo es un electrolito. Contiene sales disueltas y por tanto conduce la corriente eléctrica.

98. ¡Asegurado!

PRÁCTICA Y PACIENCIA

Se necesita:
- 3 pilas (4,5 voltios)
- 1 bombilla de linterna (2,5 voltios) con portalámparas
- 7 trozos de cable eléctrico aislado
- 1 tablilla de madera
- 2 chinchetas metálicas
- lámina de aluminio
- alicates
- 1 lápiz afilado por ambos extremos
- cinta aislante adhesiva

Y se hace así:
1. Clavar las dos chinchetas en la tablilla a una distancia de unos 4 cm.
2. Pelar los extremos de los trozos de cable eléctrico y conectar las pilas, la bombilla y las chinchetas como se ve en la ilustración.
3. Usando dos trozos de cable, conectar los extremos del lápiz con las chinchetas como se ve en la ilustración. La bombilla luce débilmente.
4. Quitar el lápiz y colocar sobre las dos chinchetas una tira de aluminio.

¿Qué ocurre entonces?
La bombilla luce con mucha intensidad. La tira de aluminio se calienta y la bombilla se apaga.

¿Cómo se explica eso?
La batería de tres pilas de 4,5 voltios proporciona demasiada corriente a la bombilla de 2,5 voltios, cuyo filamento se calienta demasiado y por último se funde, quedando interrumpido el circuito.

> **Qué más hay que saber:**
> Los aparatos eléctricos suelen llevar fusibles, que consisten en un hilo delgado que se funde cuando circula demasiada corriente por el circuito. Éste queda interrumpido y así se evita el recalentamiento del aparato y un posible incendio.

EL JUEGO DE LA CIENCIA

Últimos títulos publicados:

QUERIDO MUNDO

Una colección de libros que ayudan a los primeros lectores a comprender, amar y cuidar el mundo en el que vivimos y que compartimos con nuestros semejantes. Libros profusamente ilustrados, con bellas y expresivas imágenes a todo color y textos directos, claros y concisos que ponen al alcance de todos los niños y niñas los conocimientos más básicos de la forma más divertida.

Formato: 16,5 x 24,5 cm